Dialogues with the Past

# 歴史との対話

## 今を問う思索の旅

樋口映美【編著】
Hayumi Higuchi

彩流社

# 目次

# 凡例

1　地名と人名は、読み方を示すルビを含めて、できる限り原語の発音に近い表記を用いた。ただし、日本でもよく知られている地名はその例外とした。

2　本文の数字表記には、「数十」「数百」など不特定の数値を表わす場合は別として、「十」「百」「千」は使用しないことを原則とし、それぞれ「一〇」「一〇〇」「一〇〇〇」と表記した。なお、「ひとつ」「ふたつ」は「一つ」「二つ」と表記した。したがって、人数を表わす「ひとり」は原則として「一人」と表記する。さらに、従来「一ヶ月」と表記される傾向にあった語句については、「一か月」と表記した。

3　従来から「人々」と表記される語については原則として、個々人に注意を払う視点から「人びと」と表記した。

4　「おこなう」の表記は漢字を使う場合、「行なう」と送り仮名を付けることにより、「行った」（いった）と「行なった」（おこなった）が一見して区別できるようにした。

5　本文での直接引用の文中において、内容の理解を深めるために著者が付記した語句は［　］を設け、その中に文字サイズを小さくして記した。なお、直接引用文中で省略した部分については、［中略］と記し、サイズを小さくした。

6　直接引用文中で、イタリック体やゴシック体で強調されている箇所では、傍点を用いた。なお、著者が強調の意図から直接引用文中で傍点を使う場合は（傍点は引用者）と記した。

7　記号については、「～」は本文ではできる限り使用せず、「から」と記した。また、「＝」などの記号も本書では原則として用いないこととした。ただし、先の1から4についても同様であるが、直接引用文では出典どおりとした。

# ●歴史を考える回路——史料のよみとりと叙述

樋口映美

## ◆歴史を考えるとき

日本で生活している私たちが歴史を考えるときに思い浮かべるのは、日常耳にする「戦前」や「戦後」という言葉かもしれません。あるいは、「奈良時代」とか「江戸時代」とか、学校教育で修学した言葉かもしれません。いずれも、人びとの生活について私たちがある程度は知っていると思われる時代です。

それに対して、数千年や一万年も前に人びとが住んでいたとされる遺跡に立ってみると、予期もしない「歴史感覚」を覚えることがあります。それは、私たちが知らない時代の遺跡だからなのかもしれません。太古の生活が脳裏に浮かぶというより、その現場に立っている自身の存在を強く感じるように思われます。その感覚は、時代の枠を超えて今日まで一万年以上も「人類の歴史」を紡いできた「人」と自身とをつなぐ新たな視座を私たちに与えてくれるでしょう。

その視座について一案を提示してみたいと思います。ここに二つの土偶があります。一つは、一九八六年に棚畑《たなばたけ》遺跡で発掘された「縄文のビーナス」という土偶（写真１）で、五五〇〇年も前の縄文期中葉、まさに縄文文化最盛期のものだそうです。[1]他の一つは、二〇〇〇年に中ッ原《なかっぱら》遺跡で発掘された土偶（写真２）で、「仮面の女神」と称されています。それは、およそ四〇〇〇年前、縄文期の晩期が始まるころ、気温の低下などにより生活環境が厳しくなりつつあった状況下で創られたものだそうです。[2]

出土品の詳細は考古学者にお任せするとして、[3]ここで確認しておきたいのは、出土品

写真１（右）「縄文のビーナス」・写真２（左）「仮面の女神」いずれも、発掘現場の写真を背景に、どの角度からも鑑賞できるように実物が展示されている。（長野県茅野市尖石縄文考古館、2021 年 8 月、撮影：著者）

のもつ威力です。土偶や土器が数千年もの歳月の隔たりを微塵も感じさせず、考古館でそれらと対面している私たちを直截に感動させてくれるのです。

たとえば、先に紹介した二つの土偶は、どちらも妊婦を表現したとされているものですが、作成時期に一五〇〇年ほどの隔たりがあり、縄文のビーナスには全体的に丸みを帯びた質感が、仮面の女神には空洞の構造にもかかわらず重量感と力強さがあります。どちらも、それぞれの作者の意図を宿し、作成された時代と社会の何かを反映しています。それが何なのかは、数千年後に八ヶ岳西麓の尖石《とがりいし》縄文考古館で土偶と対面する私たち、今を生きる私たちには、正確にはわかりません。それでも、土偶が見事に形成されて焼かれ、今に至るという事実を、私たちは受け入れます。そのうえで私たちは、土偶の背後にある遠い過去の実態を見極めようとして、その作者の姿やその技術の高さ、制作のプロセスを想像し、その土偶を祭ったはずの人びととその生活などに思いを馳せます。それは、土偶が宿す迫力が、今の私たちにも伝わるからでしょう。それを私たちが自分たちの五感でしっかり受け止めようとすると、数千年の長い歳月を超えて土偶に宿る魂のようなものが私たちの心を捉え、私たちは身震いさえ覚えるのです。

## ◆歴史を考える想像力

そのような土偶と対面したときの感動を、私たちは誰かに伝えたいと思うでしょう。そのとき私たちは発信者になろうとするのです。もちろん、過去を生きた制作者たちに感動を伝えることは叶わないので、私たちはその感動を、今を生きる他の人に伝えて共有したいと思うのです。

そこで問題となるのは伝え方です。私たちは、伝達内容を運ぶだけで用を果たす伝書鳩ではないので、その伝える内容に自己を介在させます。おそらく感銘を受けたこと、すなわち自身の体験を踏まえて伝えようとするでしょう。

人によるそうした伝達の回路ともいうべきものは、たとえば歴史の書き手が読み手を想定して、過去から残されてきた史料をよみとり、歴史を叙述する思考回路にも見出されます。

その回路は、文化論的展開が文学や歴史学などの研究者のあいだで話題になるずっと前、一九七五年、当時三九歳になったばかりの阿部謹也がいみじくも注目したドイツ史研究者ハインペルの言う歴史叙述の回路に通じるかもしれません。[4] 阿部は、ハインペルの言葉を引用しつつ次のように記しています。

「ドイツ史の言葉が美しく素朴・簡明で人々に働きかける力をもつためにはそこにわれわれの経験がおり込まれ、過去の記録に現在の経験が真理の源として流れ込んでいなければならない。」こうしてハインペルは歴史叙述を可能ならしめる基本的条件として「人間が最も深い根源において自分の時代が歴史的真理として示すものにかかわっていること」と「われわれの経験がおり込まれていること」を真理の源として要請していることになる。[5]

もちろん、歴史は科学であり客観的でなければならないという考え方もあります。とはいえ、ハインペルが述べ、阿部が注目しているように、「ドイツ史の言葉が美しく素朴・簡明で人々に働きかける力をもつためにはそこにわれわれの経験がおり込まれ、過去の記録に現在の経験が真理の源として流れ込んでいなければならない」ということを逆に言えば、歴史叙述を創出する思考回路に自身を介在させ「経験」をおり込んで叙述することによって、読み手の共感を喚起することに一歩近づける、ということになります。それは、どちらかと言えば客観性より経験を重視する認識ではないでしょうか。

史料のよみとりに「経験」をおりこむためには想像力が必要です。その想像力について、阿部は次のように語っています。

歴史叙述における想像力とは、事実にないことや史料の裏付けのないことを頭のなかで考え出してゆくことではなく、歴史家が体験しえなかったような体験をもつ庶民から、歴史家が自らの体験となるほどの課題をよみとることなのである。だから想像力を働かせるということは、虚構を構成することではなく、事実に肉薄するために全力をつくすことなのである。そのためには歴史家は自己と対象の距離をまず知り、その上で体験化への努力をしなければならないことになる。(6)

阿部がハインペルを踏まえて言うところの「歴史叙述における想像力」とは、まさに今を生きる私たちが史料と向き合ったときに史料の向こうに実態をよみとろうとして働かせる「想像力」つまり「想像」するという行為だということです。

しかも、想像して感知されたものを叙述する思考回路には、阿部が述べているように、「距離をまず知り、体験化への努力」が伴うことになります。

ここで、「距離」について考えてみましょう。そもそも、「距離」とはものさしで客観的に測れるものではなく、自分と史料とのあいだに潜む時空的な隔たり、過去と現在とをとりまく状況の差異によって生じる地理的・環境的な隔たり、自分と史料の向こうに実在した他者が自分とは異なるという個人的な隔たりなど、さまざまな「距離」を意味すると考えておきましょう。

今を生きる私たちは、史料からのよみとり作業にそれらの多様な「距離」が幾重にも潜んでいるという現実を受け入れて史料に向かいます。

それゆえ史料は、実態との多様な「距離」を想像させてくれる手がかりなのです。たとえば、「史料」を残した「人」のことを思うとき、私たちは、「史料」の背後に「実態」として存在する「人」を想定して寄り添い、その状況を「こんな気持ちかな？あんな気持ちかな？」と自身の経験のなかの感情を基準に探ります。そしてときには、自身の感情を史料内容と照合させることによって、「実態」を表現しようとするでしょう。あるいは、自己の判断の経験値に沿っていくつかの解釈の可能性を史料から想像するかもしれないのです。

言い換えれば「史料」とは、実態との「距離」を潜ませながらも、今を生きる私たちに直接働きかけ、私たちから想像という行為を誘引する威力を宿しているとも言えそうです。

## ◆よみとりを支える「経験力」

そのよみとりの思考回路で働く力を、今を生きる私たちの総合的な「経験力」と呼んでおきます。私たちが史料の背後にあるはずの実態と自分との「距離」をできる限り縮めて、想定される実態に寄り添おうとするとき、今を生きる私たち個人の経験と想像力が相乗効果を生み、よみとりが可能になります。それが「経験力」によるよみとり行為です。

その一方で、私たち個々人が異なる存在であり、その個々人のもつ経験も「経験力」も異なるということも重視しておきましょう。
その考え方に関連して、日本の歴史研究界にフランスのアナール学派の考え方を紹介した第一人者でもある二宮宏之が次のように述べています。

ここで留意しておきたいのは、歴史家の営みは、歴史が残した痕跡を手掛かりに、歴史的世界を読み解こうとする試みであり、その読解にあたっては社会科学の理論が援用されるとはいえ、その根本においては、歴史家ひとりひとりの生の経験こそが、歴史的世界の再構成を支えているということである。それゆえ、歴史学の変容は、社会科学の理論的な転向に即応したものというよりは、現代を生きる歴史家の経験、それも極めて個人的な経験にいっそう深くねざしたものというべきであり、それだけに、その発現の形態も、きわめて多様なかたちをとる。(7)

このように二宮は、どちらかと言えば科学よりむしろ個々の経験を基本的要素として重視する立場にありました。改めて考えてみれば、先にもハインペルと阿部が示唆していたように、史料のよみとり作業が、今を生きる私たち個々人のそれぞれ多様な「経験力」によって可能となる行為であるなら、引用中の二宮の言葉では、「その発現の形態も、きわめて多様なかたちをとる」ということになります。同じ史料を手がかりとしても、全く同じよみとりはないということです。
とすれば、そのよみとりは、個々の経験に照らした想像という行為、つまり「経験力」

によって導き出された固有のものである、ということもできます。もちろん、そうした叙述も、史料の向こうにある実態からはまだ「距離」があるでしょう。

その「距離」を自覚しつつ、再び重視しておきたいのは、その叙述は、今を生きる私たちが、史料と自己とのあいだに潜む「距離」を縮めるために自己の経験力を駆使してどうにか到達したよみとりの結果だということです。だからこそ、今を生きる私たちは、そのよみとりに責任をもたなければなりませんし、その荷は重いということにもなります。

## ◆「経験力」による叙述

その経験と想像力との相互作用つまり「経験力」についてもう少し考えてみたいと思います。私たちは、多種多様な史料を一つ一つ吟味して、それぞれから異なる情報をよみとろうとします。もちろん多種多様な史料を同時に手にとることは不可能なので、別々の時間に個々の史料と一つ一つ向き合うことになります。

そして次に、それらの異なる情報からよみとったそれぞれの内容をどのように組み合わせて物語を描き出すかという論理構築の段階に入ります。その思考回路においても、私たちの経験力が働きます。

言い換えれば、史料の向こうにある状況や人の存在を立体的に想像する行為は、書き手としての私たちの経験という触媒によって現実味を帯び、それが、書き手の新たな経験となって、自身の思考回路に積み重ねられるのです。

その結果、もともとはそれぞれ異なる史料であり、情報ではあるのですが、その解釈と論理的つながりは、歴史の書き手という個人の想像と経験によって紡がれて、歴史の物語として叙述されるわけです。

そのように考えると、歴史の書き手がさまざまな段階での想像のプロセスを読み手に追体験してもらえるように叙述するという、経験力を活かした叙述の「新たな課題」も見えてきます。

もちろん叙述のし方によっては、相手にうまく伝わる場合も伝わらない場合もあるでしょう。

たとえば、土偶に対面して受けた印象が言葉でうまく伝われば、その相手の感性は刺激され、相手の思考が始まります。

ところが、日本に在住する読み手の立場に立ってみると、「史料」との対面は、日本で公開されている土偶との対面のように容易ではありません。

それゆえ、書き手がよみとった「実態」を読み手に伝えようとすれば、書き手には、よみとりの手がかりとなった「史料」およびその「史料」と自身との対面を、読み手にうまく伝える工夫が必要になります。さらには、先に触れた「新たな課題」に挑戦して、自身の想像の経路を、読み手に追体験してもらえるように叙述するという工夫も必要になります。

その工夫次第で、読み手が、自らの想像力で書き手との距離を縮めてくれるかもしれないのです。そうなれば読み手も、自身の経験力を働かせて書き手と同じような位相に立ち、歴史をめぐる議論に加わりやすくなるのではないでしょうか。

## ◆寄り添いの叙述

では、どうすればよいのでしょうか。メキシコでインディオの家族と数十年にわたって交流し、インディオの村を日本の読者に紹介してきた清水透は、『増補　エル・チチョンの怒り――メキシコ近代とインディオの村』の前書きで、第一部「エル・チチョンの怒り」について「この作品では、文献資史料とともに、ロレンソの語りやその語りに対立する語りを大幅に取り込んでいる」と述べています。(8) 第二部「砂漠を越えたマヤの民」についても、

「越境」を決意させた直接・間接的原因、就労地へ着くまでの生々しい現状、厳しい労働現場の問題など、「自身がニューヨークへの越境を経験した」ファニートを中心に、越境者たちの語りと留守家族の語りを軸に構成されている。(9)

と、その語り重視の手法を明言しています。実は、清水とインディオの家族三世代にわたる交流が続いた一九七〇年代から二一世紀初頭にかけて、近代化と合理化の波がインディオの村々にも及び、その怒涛の中に村人たちを激しく巻き込んでいきました。清水は、その大きな変容を生き抜いたロレンソやファニートらに寄り添い、それぞれの話に耳を傾けたわけです。しかも清水は、その折々の自身の寄り添いの感覚を、読み手にも

追体験してほしいと願って、「語りを軸」にしている可能性もあります。

ここで注視しておきたいのは、「人」に寄り添う手法は「人」への「共感」を示し、読み手の「共感」を喚起する手法ではありますが、その「共感」が常に「賛同」を示すわけではないということです。その意味で歴史研究者ヘザー・A・ウィリアムズも、寄り添いの叙述に成功している書き手の一人でしょう。

というのも、ウィリアムズが史料を手がかりとして、奴隷所有者や奴隷商人の実態に寄り添おうとするとき、人を奴隷として所有する行為や人を商品のごとく売買する行為を肯定しているわけではないからです。ウィリアムズは、奴隷売買に際して奴隷所有者パーシーとチャプリンが抱いた感情についてこう書いています。


パーシーは、人びと［奴隷たち］が売られて行く日にいたたまれない気持ちを味わっていたと伝えている。［中略］しかし、［中略］パーシーには奴隷たちが売られたがっていないとわかっていたにもかかわらず、売買によって得た収益を喜んだ。どちらの奴隷所有者にとっても、思いやりより自分の利益のほうが重要であったということである。

こうしてパーシーもチャプリンも、自分たちの精神的苦悩は終わったと安堵感を示す。［中略］二人とも、奴隷とされた人びとの気持ちには敏感ではあったが、どちらかと言えば、気になっていたのは［身近にいた者を売りに出す状況にある］自分自身の不快感であって、それは、取引が終わったときに消えた。しかし、奴隷とされた人び

とにとっては［取引が終わっても］終わっていなかった。(10)

ここでウィリアムズは、奴隷所有者たちが奴隷売買に際して抱く悲しみが、「自身の不快感」に起因しており、「取引が終わったときに消えた」と記しています。その一方で、ウィリアムズは、売買によって生じた家族との別離の悲しみは、「奴隷とされた人びとにとっては終わっていなかった」と書き添えています。そこには、奴隷とされていた人を「人」として見るウィリアムズの基本姿勢が揺るぎなく介在しています。

私たちもまた読み手として、そのウィリアムズによる寄り添いの姿勢を正確に把握するだけの想像力を働かせる必要がありましょう。

言い換えれば、「経験力」は、歴史叙述を創出する側のみならず、その歴史叙述に込められた書き手の位相を感知して理解しようとする読み手の側にも求められるということでしょう。

＊　＊　＊

こうして考えてみると、歴史との対話は、土偶たちとの対面と類似しているように思われます。「歴史との対話」とは、私たちが、断絶や変容を抱えつつ連綿と紡がれて今にいたる人類の長い歴史の積み重ねを念頭においたうえで、限られた史料から自分自身の「経験力」で受けとめ叙述したことを、他の書き手や読み手と共有し、真摯に理解を深めようとする行為だと言えるでしょう。その基本線を重視しながら、これからも歴史との対話という営みに取り組んでいきたいものです。

# ●ヒロシマからの便り

デイヴィッド・S・セセルスキ（樋口映美訳）

原爆投下についてアメリカ合衆国（以下アメリカ）では、首都ワシントンにある国立スミソニアン博物館での展示をめぐって、一九九〇年代に大激論が交わされました。その論争の的になったのは、スミソニアン航空宇宙博物館による企画で、太平洋戦争終結五〇周年を迎える一九九五年の実施を念頭に、一九四五年の原爆投下についてアメリカ側と日本側、とりわけ被爆者の視点も含めて多角的に考えようとする原爆展実施の計画でした。ところが、それは、原爆投下を是とみなす在郷軍人会や連邦議会の共和党新保守主義の議員ら、その人びとと同様に原爆投下を肯定する人びとからの猛反対を受けました。その結果、企画がそのまま実施されることはなく、修正に修正が加えられた末に、広島に原爆を投下したB二九爆撃機「エノラ・ゲイ」を展示するだけのものとなりました。その経緯については、同博物館の元館長マーティン・ハーウィットが『拒絶された原爆展——歴史のなかの「エノラ・ゲイ」』（山岡清二監訳、みすず書房、一九九七年）に詳しく述べています。

本書に収めた「ヒロシマからの便り」は、原爆投下に関するアメリカの世論を熟知するデイヴィッド・S・セセルスキが二〇一八年一〇月二七日に広島を訪れた直後、日本滞在中に書いて自身のブログに掲載したものです。この時期、広島平和記念資料館は本館が耐震工事中で、展示は東館だけに縮小されていましたが、それでも著者には十分だったようです。

（訳者）

私は今、アメリカから遠く離れたところにいます。東京の大学での研究会で報告するために妻と共に日本を訪れています。その仕事を済ませて、私たちはここ数日、日本の各地をめぐる旅をしているところです。

写真１　広島原爆ドーム
広島平和記念公園に残されている通称原爆ドーム。1915 年に広島県産業物産陳列館という名で会館し、1933 年に広島産業奨励館と改名された建物。1945 年 8 月 6 日に被爆し、1996 年ユネスコの世界文化遺産に指定され、今日に至る。恒久平和を祈るシンボル。（2018 年 10 月 27 日、撮影：著者）

私たちは日本在住の友人に案内されて、古代の仏教寺院を訪れたり、山頂に神社のある山に登ったり、路地をあちこち散策しては和菓子の店や藍染め工房や何百年も日本酒を醸造している酒蔵を訪れたりしました。

きょう私たちは広島にいて、一九四五年八月六日に原爆が投下された街で犠牲者たちのことを記憶しようとする、この地を訪れました。

これまでの旅は喜びにあふれていましたが、ここ広島で見たものや感じたことについては、どのように表現すればよいか、言葉がありません。

写真２　加納幸次くんの弁当箱　広島平和記念資料館に展示されていた遺品（2018 年 10 月 27 日、撮影：著者）

写真３　幸次くんとその兄と妹　広島平和記念資料館に展示されていた写真（2018 年 10 月 27 日、撮影：著者）

## ◆広島平和記念公園と資料館

広島で見聞きしたなかで私にとって一番つらかったのは、原爆投下によって殺されたり傷ついたりした子どもたちのことでした。

広島平和記念資料館では、原爆投下で命を失った子どもたちの形見をはじめ、数多くの展示品を見ました。そのなかには、加納幸次という一二歳の少年の弁当箱がありました［写真２］。

弁当箱の蓋には「カノウコウジ」と名前が綴られていましたが、少年の遺体は見つからなかったそうです。少年の家族はその弁当箱を、広島平和記念資料館に寄贈するまで、六六年ものあいだ自宅の仏壇に安置していたそうです。

上の肖像写真［写真３］には、幸次くんとその兄（資料館に弁当箱を寄贈した）恒治さんと妹さんが写っています。幸次くんは、このとき小学校四年生でした。

写真４　三輪車　広島平和記念資料館に展示されていた遺品（2018 年 10 月 27 日、撮影：著者）

写真５　伸一くんとお姉さん　広島平和記念資料館に展示されていた写真（2018 年 10 月 27 日、撮影：著者）

## ◆銕谷《てつたに》伸一くんの三輪車

広島平和記念資料館に展示されていて私の目をひいたもう一つの遺品は、この三輪車です［写真４］。これは、銕谷《てつたに》伸一という名の［当時三歳一か月の］幼児のものでした。原爆の激しい熱風が近隣を嘗め尽くすとき、伸一くんはこの三輪車に乗って遊んでいたのです。

原子爆弾の爆風で表面温度は、華氏五四〇〇度から七二〇〇度（摂氏約三〇〇〇度から約四〇〇〇度）に達しました。それは、屋根瓦が溶けて沸騰し、木は瞬時に炭になる高温です。

伸一くんは、全身に大火傷を負っていて、その夜、死亡しました。伸一くんの父親である銕谷信男さんは、家の裏庭に伸一くんの遺体と三輪車を一緒に埋めました。

それから四〇年という歳月を経て、信男さんは、伸一くんの遺骨を裏庭から家族の墓地に移しました。そのとき、信男さんは、その三輪車を広島平和記念資料館に寄贈したのです。

前ページの写真［写真5］には、伸一くんが［当時七歳の］姉、路子《みちこ》ちゃんと一緒に写っています。路子ちゃんも被爆して死亡したそうです。

## ◆国立広島原爆死没者追悼平和祈念館

私たちは、原爆死没者追悼平和祈念館にも赴きました［写真6］。この追悼平和祈念館は、図書館のようでもありましたが、祈りと瞑想の場でもあるようでした。

この国立の祈念館では、原子爆弾の爆発とその直後の大火災で死んだ人びとの名前、さらにはその後に大火傷や大量の放射線にさらされて死んでいった人びとの名前が、一貫して登録され管理されています。

写真6　図書館の入り口　国立広島原爆死没者追悼平和祈念館の図書館（2018年10月27日、撮影：著者）

原子爆弾の爆発あるいは直後の大火災によって七万人から八万人の人びとが瞬時に死んだと推定されています。大火傷や大量の放射線にさらされたために、その後に死んだ人びとも大勢います。この事実に詳しい研究者たちは、一九四五年末までに男たちや女たちや子どもたち、おそらく合計一四万

写真7　死亡した人びと　国立広島原爆死没者追悼平和祈念館に展示されていたポスター［https://www.hiro-tsuitokinenkan.go.jp/assets/photographs_flyer.pdf］（2018年10月27日、撮影：著者）

人の人びとが死んだと結論しています。

この追悼平和祈念館には、これまで被爆生存者による一四〇〇以上の証言が集められています。

あの一九四五年の夏の日に命を奪われた人びとの肖像写真も追悼平和祈念館に収められてきました。上の写真［写真7］は、その人びとのほんの少しの顔写真をポスターにしたものです。その人びとの目に生気があふれていること、このような人びとの命が奪われたんだということを目の当たりにして、原爆投下によってもたらされた悲劇の重さに心が痛みました。

## ◆袋町小学校平和資料館

一九四五年に広島の子どもたちに何が起きたかを記憶する史跡として袋町小学校平和資料館ほど心打つものを、誰も企画するなど、できないでしょう。爆心地は、広島市の繁華街にある島病院の上空一九〇〇フィート［一九四五年の時点では約五八〇メートル、のちの研究では約六〇〇メートルと修正］であったとされており、袋町国民学校［当時の名称］は、その

写真８　袋町国民学校（袋町小学校平和資料館、2018 年 10 月 27 日、撮影：著者）

爆心からなんと半マイル［最近の情報では四六〇メートル］のところにあります(訳註1)。

爆発で、袋町国民学校の運動場にいた教員と約七〇人の子どもたちが瞬時に殺されました。

小学校の鉄筋コンクリートの建物は、西の部分がどうにか残りました。それは、広島市の繁華街で完全に灰や瓦礫と化すのを免れた数少ない建物の一つだったのです。

広島市の人びとは、今、その小学校の残骸を改修し、記憶と教育の場となる小さな資料館に変えています。

この上の写真［写真８］は、原爆が広島に落とされてから数週間後の小学校の姿を示しています。

写真9　元安川（2018年10月27日、撮影：著者）

## ◆元安川《もとやすがわ》

原子爆弾の爆発で死を免れた人びとは、群れを成して川に飛び込み、その多くが溺死しました。

その多くの人びとは火傷の痛みを和らげようとして川に向かいました。それ以外にも多くの人びとが、のちに「黒い雨」と呼ばれるようになるものから逃れようとしました。「黒い雨」とは、原子爆弾の［炸裂による上昇気流で発生した］キノコ雲のなかで生成された放射能を帯びた煤《すす》とチリと蒸気の混合物が地上に降ってきたものなのです。

上の写真［写真9］は、現在の元安川です。

## ◆壁に書かれた伝言

原子爆弾が投下された後、何週間も経過してから、爆発と大火災から生き残った人びとは、

写真10　屋内の壁の一部（1945年10月時点の写真）。（袋町小学校平和資料館、2018年10月27日、撮影：著者）

自分たちを捜しているかもしれない知人たちへの伝言を袋町国民学校に残しました。

上の写真「写真10」を見ると、近隣の生存者たちが学校の壁に手書きで伝言を書き残していたことがわかるでしょう。

助けを求める伝言もあります。なかには、知人や家族が安否を確かめるために訪ねて来てくれることを期待して、避難している場所や治療を受けている場所を知らせる伝言もあります。こうした伝言を残すことができるような壁は、そもそも他には残っていなかったのです。

これらの伝言は、一九九九年から二〇〇二年にかけて小学校建て替え工事中の職人たちが壁の表面をはがした際に発見されました。

## ◆「思い出したくないようなことを見たんです」

袋町小学校平和資料館には、原子爆弾の被爆生存者である生徒たちからの生の証言も所蔵されています。

「H．K．」というイニシャルのみで示された生徒は、アメリカが原爆を投下したとき、広島にいませんでした。それでも、原爆投下の四日後に広島に戻ったときの記憶を綴っていました。

H．K．の証言は、次のように始まります。

一九四五年八月。あの日、私が見た地獄のような光景について話すのはとってもつらいんです。思い出したくないようなことを見たんです。話したくないようなことなんです。心のなかでは話すのを拒んでいるけど、話さなくちゃならない。私は一〇歳でした。妹は七歳。私たちは、広島の街に落とされた爆弾で、父と母とおばを含む家族五人を亡くしました。

## ◆小学校の地下室で

何年ものあいだ、地元では袋町国民学校の生徒は全員が原子爆弾によって命を落としたと思われていました。ところが、何十年も経て、生存者が三人いることがわかりました。投下された原子爆弾が炸裂したとき、その三人は学校の地下室にいたのです。

それから何年後かのこと、その生存者のうち二人は、広島大学の研究グループの要請に応じて証言しました。

一人は、体育用の靴に履き替えるために地下室におりていっていたので、生き残ったと話しています。

原子爆弾が投下されたのち、その人が、学校の建物から這い出して目にしたのは、ほかの生徒と先生たちの死体が散らばっている光景だったのです。

空は真っ黒で、学校の周りは炎でおおわれていて、その炎のあいだをくぐりぬけながら、黒焦げになった多くの死体のすぐ脇を歩いたそうです。

写真11　袋町小学校　私たちが袋町小学校平和資料館を訪れたときの地下室への階段（2018年10月27日、撮影：著者）

そして、臨時に設けられた救護センターにたどり着いて初めて、自分の身体にたくさんのガラスの小片が突き刺さっているのに気づきました、と、その人は語っています。

## ◆「私はちょっと遅くなって」

袋町国民学校のもう一人の生存者は、何年も経たのちの袋町小学校の生徒たちに手紙を書きました。その手紙は資料館に展示されています。それを読むと、この生存者が今もなお、あの日の生死を分けたきわどさに思いを馳せているように思われます。

その人は、次のように書いています。

あの日、裸足で学校に行った私たち生徒六人は、［下駄箱のある地下室に行って］すぐに靴を履いてくるように命じられました。私より早く靴を履いた五人は、おそらく運動場に着いたとたんに原爆に見舞われたことでしょう。私はちょっと遅くなって、まだ階段を上っているところだったんです。だから私は生き残りました。

写真 12　袋町小学校２階への階段風景　同館を訪れた子どもたちが袋町小学校平和資料館に残した平和への伝言（2018 年 10 月 27 日、撮影：著者）

## ◆平和を祈る折り鶴

袋町小学校平和資料館の二階に上がろうとして私たちの目に映ったのは、美しい希望のしるしでした［写真12］。そこにあったのは、全国から訪れた小学生たちが置いて行った、明るい色の何百もの折り鶴と平和への祈りの言葉でした。

何年ものあいだ、この平和資料館は多くの生徒たちを迎え、平和教育の一役を担ってきました。

原爆被災者に関するこれらの話、とりわけ子どもたちに関する話を知って、私は、自分の愛する国が、広島に対してこんなことをした国であったことについて思いを巡らさざるをえないのです。

文明国たる国に、なぜこんなことができたのだろうと、私は自問します。

こんなことがなされたにもかかわらず、これがどれほど恐ろしいことであるか、なぜ［アメリカでは］それをそのままを受けとめることができないのでしょうか。［この事実が］永遠に贖いを求めつづけるべきこととして、なぜ［アメリカでは］記憶されないのでしょうか。

ところが［アメリカ国内とは異なり］、私たちが訪れた広島の他の記念碑や資料館でもそうであったように、袋町小学校平和資料館でも、怒りや咎《とが》めや恨みの感情が投げかけられているわけではないのです。

それどころか、どこにおいても伝わってくるのは、ここで何が起きたかを世界中の人びとが記憶することを願い、二度とこのようなことを起こさせないように世界中の人びとが行動することを心から願う、深い、深い、念《おも》いなのです。

## ●石碑は語る——関東大震災と朝鮮人犠牲者の追悼

田中正敬

写真１　馬込霊園の石碑群（船橋市営馬込霊園、2022 年 9 月 10 日、撮影：著者、以下同じ）。最も大きい「関東大震災犠牲同胞慰霊碑」が中央に、その奥に二つの碑が建つ。

## ◆三つの碑の前で

千葉県西北部に位置する船橋市に、馬込霊園という墓地があります。霊園の正面入口を入って五分ほどすると、あたりの墓のなかでひときわ目立つ石碑群の区画が現れます（写真１）。

もっとも大きな石碑の横幅は約一・三メートル、高さは三メートル余り、正面には「関東大震災犠牲同胞慰霊碑」の文字と、一九四七年三月一日という日付が読み取れます。裏にはハングルでびっしりと文字が刻まれています。

この区画内には他に二つの小碑が建っています。その一つが一九二四年に建てられた「法界無縁塔」です。裏には大正一三年という建立の日付が刻まれています。

もう一つの石碑には、一九六三年にこの地に石碑が移されたとハングルで書かれています（以下、「移葬碑」とします）。当初は船橋駅近くの火葬場にあった二つの碑が、火葬場の移転に伴い馬込霊園に移されたことを記録するために建てられたものです（写真２）。

　これら三つの碑は、一九二四年に「法界無縁塔」、一九四七年に「関東大震災犠牲同胞慰霊碑」、一九六三年に「移葬碑」の順番で建てられたことになります。

　関東大震災時には、朝鮮人が放火、投毒した、集団で襲ってくる、などのいわれなき流言が拡がりました。このとき、日本の植民地となった朝鮮から渡航した多くの労働者や学生などが、軍隊、警察、住民などによって殺されました。いわゆる朝鮮人虐殺事件です。船橋でも痛ましい事件が起こっています。

　毎年九月、これらの碑の前で、亡くなった朝鮮人の同胞により追悼式が開かれています。初めて追悼式に参列したとき、私は「関東大震災犠牲同胞慰霊碑」の大きさに圧倒され、関東大震災から百年近く経とうとするなかで多くの参列者がいることにも驚きました。そして、これらの碑がなぜ建てられたのかを知りたいと思い、さまざまな文献を読んだり、話を聞いたりしてきました。

写真２「移葬碑」（1963 年）。船橋駅近くの火葬場から馬込霊園に石碑が移された際に建てられた。

## ◆関東大震災と船橋

　船橋で起こった虐殺事件と石碑の建立については、千葉県における関東大震災と朝鮮人犠牲者追悼・調査実行委員会編『いわれなく殺された人びと』(1)、李炳河《リビョンハ》、文剛《ムンガン》「関東大震災と追悼のいとなみ」[2]という論考があります。

一九二三年九月一日午前一一時五八分、関東大震災が起こりましたが、船橋周辺の被害は軽微だったようです。東京からは多くの人びとが避難して来ました。船橋大神宮の客殿、教会、船橋町小学校などに収容所が作られました。小学校の『学校日誌』には、二日の午前一時から避難者の収容が開始されたと書かれています。

そこに流言が広がります。発生源の一つは、この小学校での「爆弾騒ぎ」です。『学校日誌』には三日夕刻、朝鮮人避難民七人のうち「爆弾を所持せるものあるを発見」し、警察に引き渡したとの記述があります。[3]当時、船橋警察の警官だった渡邉良雄さんの回想によれば、彼らを護送する途中で自警団が襲い、負傷させました。[4]

鑑定の結果、朝鮮人が所持していたのは爆弾ではなかったことがわかりました。しかし、「爆弾騒ぎ」を打ち消す情報は広がらなかったようです。一〇月二一日付の『東京日日新聞』には「船橋町小学校に避難した東京罹災者中に爆弾を所持してゐた一鮮人〔差別用語ですが、史料のまま引用します〕を加瀬校長が発見した事実もあ」ったと書かれています。この記事では、「爆弾騒ぎ」を事実としています。

船橋近隣の鎌ケ谷の住民の日記にも、三日の午後になって朝鮮人を犯人とする流言が広がり、自警団が結成されたという記述が見られます。

〔朝鮮人の〕東京市内外にあるものが徒党して、この天災を機として暴行を起し爆弾を建物に投擲し毒物を井戸に投入して邦人に大災害を加へつつあり、〔中略〕今日はその暴徒等は我が地方に襲来する形跡である、夕刻頃には馬込沢辺危殆に迫るに相違ないなどと各種の流言・蜚言頻りに伝はり〔中略〕忽ち一郷の風聞に成つて、何れもまじめに之れを信して、各部落とも武装の自警団を組織して厳重な警戒を備へた(5)〔原文はカタカナ、以下の引用もひらがなで統一しています〕

東京で爆弾を投げ井戸に毒を入れた朝鮮人が襲来するという流言が飛び込んできて、一挙に事態は緊迫します。日記の著者は、「流言」だと明記しつつも「斯る時にその虚実など説ても耳に入れる者もないから、予も部落の協議に従つて、役場から帰れば自警団に加はることにした」とも書いています。流言に疑問を持っても表に出さず、自警団に従うような雰囲気が作られていたことがわかります。

船橋では無線電信によっても流言が拡散しました。船橋市の行田には（地図1）、当時海軍東京無線電信所船橋送信所がありました。行田の地図には円形になっている道路が見られますが、そこに送信所の中心となる施設がありました。東京の無線電信施設が壊滅的な打撃を受けたために、東京から発する命令などは伝令を通じてここから送信されました。九月三日朝、内務省から「東京附近の震災を利用し、朝鮮人は各地に放火し不逞の目的を遂行せんとし(6)」ているという無線電信が全国の地方長官宛に出されました。

近隣からの流言にも接するなかで危機感をつのらせた送信所長は、ついには独断で危急信号を発信し、近隣住民には武器を持たせ送信所を警戒させせました。警防団長を務めていた人は、送信所長に「浦安、行徳に六〇〇人の『不逞鮮人』が来るから今夜警戒たのむと、銃を渡されて、二声かけて返事をしなかったら、撃ってもいい」(7)と言われたと証言しています。送信所は流言が事実だと考え、朝鮮人虐殺を公認するような命令を近隣住民に下しました。こうした緊張の高まりのなかで、九月四日を中心に船橋での朝鮮人の殺害・傷害事件が起こりました。

## ◆船橋での朝鮮人虐殺と助かった人びと

このとき船橋では北総鉄道（現在の東武野田線）が建設中で、朝鮮人労働者が働いていました。労働者たちは工事現場付近の丸山や松島などいくつかの飯場に宿泊していました。一五〇人、あるいは五〇〇人ともいわれていますが、正確な人数はわかりません。

政府の報告書(8)が船橋周辺での事件について記録しています。これを見ると、船橋町では九月四日午前一一時に船橋警察署付近で呉鑵根ほか十数人（傷害及同致死）、四日午後四時に避病院（伝染病患者を治療）前で三人（殺人）、九日市《ここのかいち》で三八人（騒擾殺人）、いずれも住民が事件を起こしています。いわゆる「自警団事件」です。九日市については、五三人など、異なる犠牲者数を記録した史料もあります。

中山村（現在の市川市）若宮地先（地図1では十字路のあたり）では、九月四日夜に一三人（騒擾殺人）、五日正午頃に三人（騒擾殺人）、これも自警団事件です。

右の事件で最も多くの被害者を出した九日市の事件では、鎌ケ谷の粟野の飯場にいた朝鮮人労働者とその家族が亡くなりました。鎌ケ谷の自警団は朝鮮人を行田の船橋送信所に連れて行き引き渡そうとしました。しかし送信所は引き受けず、警備に来ていた騎兵二人に護衛させて船橋警察署に向かわせました。その途中の九日市で待ち構えていた自警団が朝鮮人を襲いました。

前述の渡邉良雄さんの回想から九日市の事件の様子を知ることができます。渡邉さんたち警察官は船橋駅近くの天沼に朝鮮人を迎えに出ますが、騎兵は渡邉さんたちに朝鮮人を渡さず、船橋の自警団に朝鮮人を渡してしまったといいます。渡邉さんはいったん警察署に行き署長に報告して戻ると、すでに虐殺は始まっていました。その様子を渡邉さんは次のように書いています。

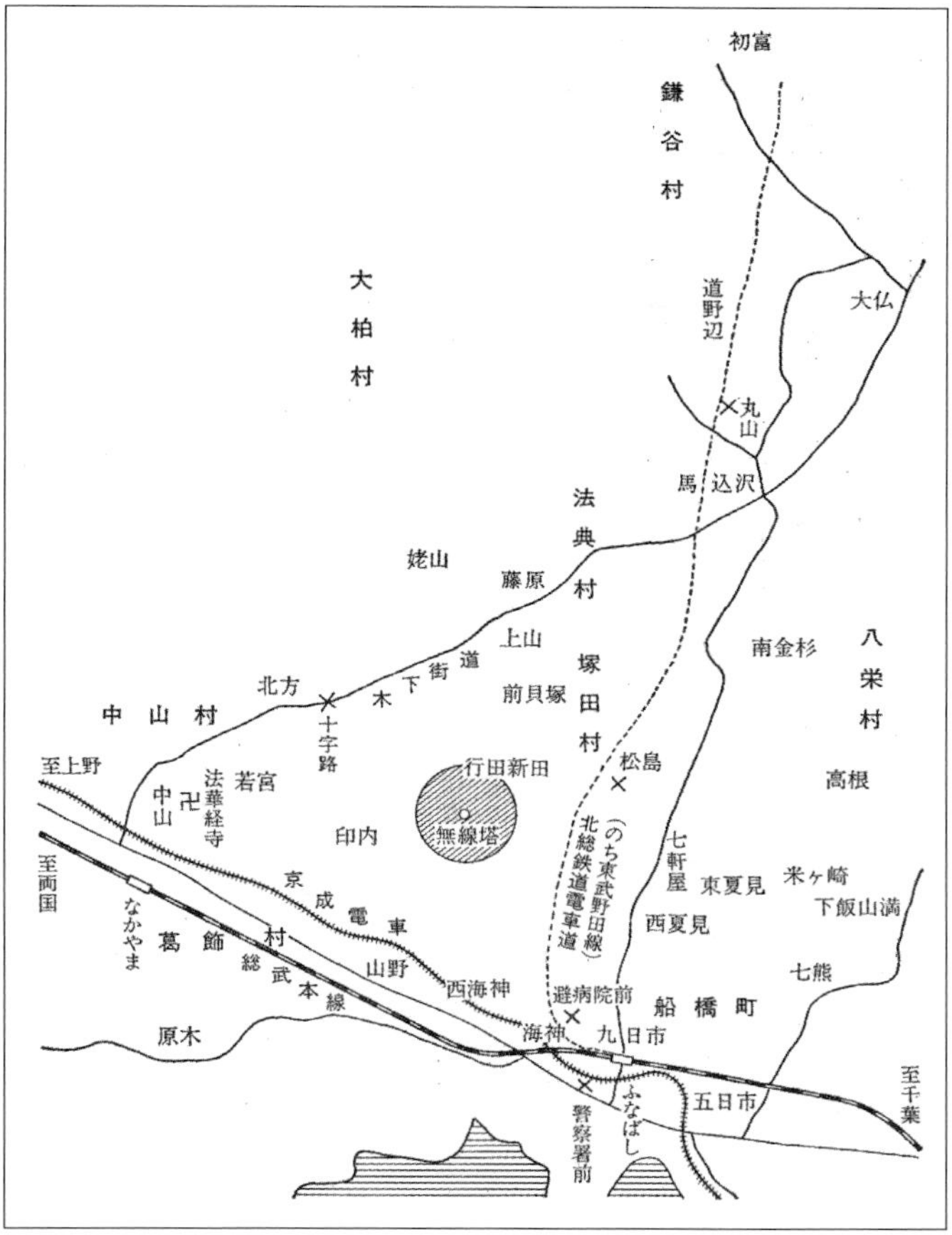

地図１　1923年当時の船橋。×印は、朝鮮人の飯場や事件が起こった場所などを指す。出典『いわれなく殺された人びと』34頁。

途中で、「万歳！」「万歳！」という声がしたのでもう駄目だと思った。現場に行って見ると、地獄のありさまだった。保護に当っていた警察官の話では、「本当に、手の付けようがなかった。」とのことであった。調べて見ると、女三人を含め、五三人が殺され、山のようになっていた。人間が殺される時は一ヵ所に寄り添うものであると思い、涙が出てしかたがなかった。

自警団の人数について渡邉さんは「約五〇〇人」と記録していますが、新聞報道によればこの事件の被告は一五人であり[9]、全員が検挙されたわけではありませんでした。

九月四日夜と五日の正午頃に起こった中山村の事件では、鎌ヶ谷村の粟野の飯場の朝鮮人労働者一三人と、東京から避難してきた朝鮮人三人が、法典村の自警団などにより虐殺されました。これらの犠牲者一六人は現場で火葬に付された後、最終的に法典村字藤原の七面堂に埋葬されたようです。

他方、朝鮮人のなかにも助かった人がいました。船橋の丸山にも北総鉄道工事に従事する二人の朝鮮人がいましたが、村民は押し寄せてきた近隣の自警団から彼らを守りました。その後、朝鮮人たちは船橋警察署を経由して習志野の収容所に護送され助かりました。『いわれなく殺された人びと』は丸山での聞き書きから、朝鮮人たちが村民と日常的な付き合いを持っていたこと、丸山の中心人物が「丸山から死人を出すな」と訴え村民が朝鮮人を守ろうと団結したことなどが、丸山が朝鮮人を守った背景にあると分析しています。

## ◆「法界無縁塔」（一九二四年）の建立

翌年の一九二四年、船橋の西福寺の住職が中心となって、船橋の火葬場に「法界無縁塔」という石碑が建てられました（写真３）。この正面には「法界無縁塔　船橋町仏教連合会」、裏面には「大正十三年九月一日　建之」と刻まれています。「（亡くなった朝鮮人が）たとえ悪いことをしたにしても殺されたのはかわいそうだ」（傍点は引用者、以下同じ）[10]という趣旨であったと伝えられています。流言は事実だと考えられていたことがわかります。

朝鮮人犠牲者の同胞たちは、船橋における事件をどう捉えたのでしょうか。

中山村の事件の追悼会が開かれたという新聞記事[11]があります。一一月九日、法典村の被告八人が塚田村、法典村の有志とはかり、日蓮宗四カ寺の住職らと連合して朝鮮人一六人の追悼会を催しました。

会場の七面堂には「朝鮮同胞殉難者追善供養」と書かれ、北総鉄道建設工事の「元従業鮮人親分」の朴乙鳳《パクウルボン》をはじめ同僚一三人も招待されました。読経と塚田、法典両村長の追悼の辞の後に墓前に参拝して追悼会は終わりました。

この記事の中に、朴乙鳳の談話が載っています。

写真３　「法界無縁塔」（1924 年）。裏面には関東大震災の翌年９月１日の日付が刻まれている。

参列した朴乙鳳君は語る「私たちは、あの騒ぎ以後、東京にすんでゐるが、今日は、主催者側の折角のおまねきによって参列しました。あの際、われわれ同胞の一部に騒ぎを起したもののあったため、罪もないものまでにくまれて悲惨な目にあった事は、はなはだ残念であるが、今更この土地の人々に対して何のうらみもない。殊に今日の様な催しで彼等の霊もうかぶことだらうと大に感謝してゐます。」とそれでも顔を曇らしてゐた。

この発言には参列した日本人への配慮が感じられます。彼の発言の真意はわかりませんが、この場で彼が事件を引き起こした人びとや政府を正面から批判しようとしても難しかったでしょう。

「法界無縁塔」建立のエピソードにも、朴乙鳳の談話にも、朝鮮人が「悪いことをした」「騒ぎを起した」という言葉が出てきます。つまり、流言で言われている内容が事実であったとされているのです。

他方、朝鮮人が主催した追悼式のなかには、日本の官民による朝鮮人虐殺の実態を訴え批判するものもありました。次の新聞記事には、朝鮮人留学生や労働者が主催した追悼式の様子が書かれています。

「鮮人追悼会は途中で解散　女学生も悲痛な報告　演説は中止に次ぐに中止」

李根茂《リグンム》君が真状報告をせんと一口二口述べると直ちに中止を命ぜられ女子大学社会科朴順天《パクスンチョン》さんの演説も中止で場内は当局の横暴をなぢる声に満つ、この時北島分署長は断然解散を命じ百余名の警官が会衆をぐんぐん外に押し出した、庭で押しあった際警官と衝突して学生趙紀詔《チョギジョ》、労働技工会員平井貞三、金沢英《キムテギョン》の三名は一時検束されたが間もなく釈放された(12)

このように追悼式の会場には警察官が配置され、登壇者が虐殺に言及すると演説は中止、最後は強制的に解散させられました。虐殺の実態を述べ、事件を起こした人びとや政府を批判することは困難だったことがうかがえます。

船橋でも追悼式が開催されていました。朝鮮人が行なった追悼式を調査した警察の記録のなかに、船橋のものもあります。

・一九三四年九月一日、千葉県船橋町町営掃除人夫監督李海竜外二七名の朝鮮人は、町当局の諒解と同町衛生組合長の援助の下に罹災朝鮮人三九名の慰霊祭を挙行。

・一九三五年九月一日、千葉県船橋町の融和団体自助融和会、正午から船橋火葬場で罹災朝鮮人三九名の慰霊祭執行、参加者は組合員三四名、日本人数名。

・一九三七年九月一日、自助融和会、船橋火葬場にある朝鮮人無縁仏の供養会を開催、参加者は一〇名(13)。

これらは「慰霊祭」、「供養会」など名前は異なりますが、九月一日に船橋で開催された朝鮮人犠牲者の追悼行事だということは共通しています。「朝鮮人三九名」という追悼の対象や「船橋火葬場」という具体的な地名から、九日市の事件で亡くなった朝鮮人の追悼式を「法界無縁塔」の前で行なっていたことは間違いないと思われます。

被害者は「罹災朝鮮人」、「無縁仏」であり、関東大震災時の虐殺の犠牲者を悼むという趣旨は公にされませんでした。「法界無縁塔」にも朝鮮人虐殺を想起させるような文言は刻まれていません。

しかし、参列者個々には追悼式の目的は自明だったでしょう。「法界無縁塔」自身には何も書かれていなくても、参列者にとってその前で死者を悼むことに意味があったわけです。

右の時期の前後にも追悼式が開かれたかどうかは不明です。しかし、一九三五年前後に初めて追悼式が行なわれるようになったとは考えづらく、また戦後すぐの一九四六年にもここで追悼式が行なわれたことが確認できるので、少なくともこの前後にも追悼の集まりがあったのではないかと推測されます。

## ◆「関東大震災犠牲同胞慰霊碑」(一九四七年)の建立

戦後、新しい石碑の建立が課題となりました。「関東大震災と追悼のいとなみ」によれば、「四五年八月十五日(祖国解放)を迎え民族再生の喜びに満ちた在日朝鮮人は、悲惨な最後をとげた犠牲同胞への無念をはらそうと、貧困の中でも力を合わせ金を出し合い、立派な追悼碑の建設に立ち上がった」といいます。そして、一九四七年に「関東大震災犠牲同胞慰霊碑」が建てられました（写真４）。

この碑には次のような文言が刻まれています（原文は漢字混じりのハングル）。

正面

西紀千九百四十七年三・一革命記念日　竣成

関東大震災犠牲同胞慰霊碑

在日本朝鮮人連盟千葉県本部　建之

写真４　「関東大震災犠牲同胞慰霊碑」（1947 年）。

裏面

西紀一九二三年九月の日本の関東地方大震災時に、軍閥官僚は混乱のなか罹災呻吟する人民大衆の暴動化を憂慮し、自己の階級に対する憎悪の感情を進歩的人民解放の指導者と少数異民族に転嫁させ、これを抑圧、抹殺することによって、軍部独裁を確立しようと陰謀した。当時山本軍閥内閣は戒厳令を施行し、社会主義者と朝鮮人たちが共謀して暴動を計画中とのいわれのない言葉で在郷軍人と愚民を煽動教唆し、社会主義者と我々同胞を虐殺するようにした。在留同胞中でこの凶変蛮行による被殺者は六三〇〇余名を数え、負傷者は数万に達した。この犠牲同胞の怨恨は実に尽きることはないだろう。しかし解放された我々は世界の民主勢力と提携し、内外の国粋的軍国主義の反動残滓勢力を撲滅し、真正な民主朝鮮を建設し、世界平和を維持することによって、宿怨を雪辱するよう積極的に闘争することを誓い、犠牲諸霊を慰労するために、ここに小碑を建立する。

在日本朝鮮人聯盟中央総本部 委員長尹槿《ユングン》撰

新しい追悼碑は、「法界無縁塔」が建てられた火葬場のすぐ脇に建てられました。裏面の文言には朝鮮人虐殺が起こった経緯と実態、そして日本の植民地支配から解放された朝鮮人が民主的な社会を創造しようとする決意が示されています（写真5）。

その後、一九六三年に「法界無縁塔」とともに、馬込霊園に移されました。

写真５「関東大震災犠牲同胞慰霊碑」の裏。碑の隅々までハングルで虐殺の経緯が書かれている。

## ◆追悼碑が語ること

私が初めてこの碑を見て驚いたのは、建立の日付が九月ではなく三月一日だったことです。三月一日というのは一九一九年の三・一民族独立運動の記念日です。この碑は、日本の朝鮮に対する過酷な植民地支配（朝鮮人虐殺）と支配への抵抗（独立運動）を象徴するものとして建立されたのだろうと思います。

もう一つ気がついたのは、「法界無縁塔」（写真３）との違いです。「法界無縁塔」には、関東大震災、朝鮮人、といった言葉が刻まれていません。そこには、この事件をタブー視している日本人建立者の複雑な感情がうかがえます。一方、亡くなった人びとを悼んできた同胞にとっては、事実無根の流言により命を奪われた朝鮮人犠牲者のことを追悼碑に刻むことが、長年の課題だったのではないでしょうか。

日本の敗戦を経て初めて、犠牲者同胞の立場から戦前の碑に記され得なかった加害と被害を刻むことができる機会が生まれました。それが新しい追悼碑建立の機運を生んだのではないかと思っています。

私は、戦後に追悼碑を作り直した経緯について当事者に聞きたいと思いました。しかし、残念ながらその経緯を知る人は既に亡くなっていました。気づくのが遅すぎました。そのことが悔やまれてなりません。

石碑自身は刻まれたこと以上のことを語ってくれません。しかし、右のような歴史を知ることで、石碑に込められた人びとの思いを想像できるように思います。

馬込霊園の追悼式に参列するようになってから、そこで多くの方に出会う機会がありました。その一人、李沂碩《リギソク》さんは、東京大空襲の経験を次のように回想しています。

空襲を逃れた地区の生徒や児童は空襲直後の朝、まるで何もなかったように学校に向かっていました。不思議な光景でした。登校中のある女子生徒が「かわいそうだ」と、学校に持っていく弁当を私たちにくれました。あれから六〇年以上経っても、家族でありがたく分けあって食べた、あの時の白米の味は忘れることができません。

後で姉から聞いたのですが、橋を渡るときアボジは、オモニに一言もしゃべるな、といったそうです。朝鮮人であることが知られてはいけないと思ったようです。その時、アボジの脳裏には、関東大震災で多くの同胞が虐殺された時の悪夢が蘇っていたようです。「十五円五十銭」の悪夢です。「チュウコエン」などと、少しでもなまったら引っ張られていったのです。こんなにも人が死んでいるのだから、関東大震災の時と同じように、朝鮮人がいわれもなく殺されるのではないかと、思ったようです。それで、オモニはリヤカーの板に身を縮めるようにして、黙ったまま八幡に向かいました。(14)

この回想から、関東大震災朝鮮人虐殺の「記憶」が、人災・天災を問わず何らかの災害に遭ったときによみがえっていることがわかります。李沂碩さんは直接関東大震災を経験していませんが、虐殺の被害は肉親などを通じて「記憶」として受け継がれているようです。そのことが、百年を経過してなお馬込霊園で追悼式が続く基礎となっており、その人びとと追悼式をつなぐのが追悼碑ではないかと思うのです。

# ●難民のトラウマ経験と戻らない家族

佐原彩子

## ◆コンピテンシーの強調

成人難民の再定住（受け入れられた国で生活を再建すること）にとって受け入れ先における職業的・経済的適応は不可欠であると考えられている。[1] 難民は多くの移民とは異なり、経済的な向上などのための自発的移動ではなく、内戦などの暴力的な状況から逃れるために故郷を離れている。[2] またその後の難民キャンプの状況や移動のなかでの性暴力を含む暴力を受けたり、目撃したりした経験などからトラウマを抱え、多くの難民が心的外傷後ストレス障害（ＰＴＳＤ）に苦しんできたことが指摘されてきた。[3]

しかし、ベトナム戦争後の難民受け入れと同時期に起こった書類不備移民の増加は、一九八〇年代にアメリカ合衆国（以下アメリカ）社会での英語公用語化運動を引き起こし、受け入れ社会において受け入れられる側に英語を話すことを求める状況を加速させてきた。[4] こうした動きは、受け入れの過程において、難民たちに早急に英語習得を求め、教育支援を減らそうとする政策を進めることになってきた。[5]

そのため一九八〇年代以降、アメリカ社会での適応過程において難民となった人びとにとって不可欠なものとして、コンピテンシー（行為能力）が問われる英語運用が強調されてきた。コンピテンシーとはたとえば、あるタスクの実行を成功するために実証された能力のことを意味し、言語を伴う生活上のスキルが必要とされるタスクを遂行できる能力を意味する。この能力概念に基づき、就労や経済的自立という場面において、労働における危険回避が可能かどうか、住居の選定ができるかなど、具体的なタスク別に言語運用能力が設定され、英語を教える側が英語を学ぶ側にその能力があるかどうかを判断するという、英語教育訓練の形態が発展してきた。(6) この英語教育のあり方そのものが、多くの場合再定住の過程で難民が抱えることになったトラウマを不可視化し、アメリカ社会において経済的に自立し市民となることを強調する価値観を育む一因となってきた。

アメリカでの再定住過程において、難民となった人びとのトラウマ経験は、学ぶ能力を阻害するものであると指摘され、社会生活におけるさまざまな弊害をもたらしてきたとされる。(7) 難民となった人びとは、アメリカ社会に受け入れられる過程において彼らが職業的・経済的に適応することが優先されてきたため、二〇〇〇年代以降になっても、彼らが必要であると求めることと彼らへの定住支援が必ずしも噛み合っていないことが明らかにされてきた。(8)

こうしたコンピテンシー重視の言語教育の中で、難民としてアメリカに移住した人物の経験を紹介し、そのトラウマの深刻さを共有したい。

## ◆出国のトラウマ

難民にとって出国とは、多くの場合、いつでも戻ることができる状況にないため、ただの移動ではなく、国を捨てるという行動である。それは土地を離れるというだけでなく、家族や友人関係を分断する行動でもある。そのため、出国体験は大きなトラウマを抱える経験である。しかし、出国経験は再定住の一つの段階としてのみ考えられ、出国経験がその後の再定住にどのような影響があったのか、出国経験がトラウマとなった場合、その解消法はどうあるべきか、といった話はアメリカ社会への適応よりも優先順位の落ちるものであるとみなされてきた。そのため一部の研究を除いては出国体験そのものに対して十分な関心が払われてきたとはいえない。

一九四九年生まれのベトナム人女性ミー・グエン（仮名、以下ミー）は、ベトナム生まれであったが、六年生から英語とフランス語を習い、フィリピン人の友人とも英語で会話していた[9]。また、一五歳の時に英語でのタイピングを学ぶなどした。中流家庭で欲しいものすべてが手に入るわけではなかったが、公立とカトリックの学校に通っていた。一九六八年に父親が発作で倒れ、母親が経済的理由から働き始めた際に、彼女も働き始める必要があった。そのためその英語力を活かして、アメリカの企業や政府関係の仕事に就き、かなりの収入を得ていたという。さまざまな外資系企業で働き、ＲＭＫ‐ＢＲＪ（アメリカの道路建設会社）で秘書として、ＩＴＴ‐ＦＥＣ（アメリカの電話・電信会社）で人事専門家として、ＵＳＣＣ‐ＣＲＳ（全米カトリック会議・カトリック救援事業会）で孤児院改善部署のアシスタントとして活躍した。ミーは、両親とミーを含め七人兄弟の九人家族であり、家計を一人で支えていたが、働きながらサイゴン大学の文学部で英文学も学んでいた。

一九七五年四月三〇日南ベトナムの首都であったサイゴン（現在のホーチミン市）が陥落／解放され、南ベトナム政府が崩壊したことによって、ミーが働いていたＵＳＣＣ‐ＣＲＳの事務所は閉鎖された。そのため彼女は仕事を失い、今までの生活が一変し、出国を考えざるをえない状況に陥っていった。その経緯は、まずその後の再教育キャンプへの収容から始まった。当時二六歳であったミーは同年六月に政府から手紙を受け取る。そこでは三日間の旅行に必要な衣類と蚊帳を持って集合するように書かれていた。出頭した後に、どこに連行されていくのかも知らされず連行された場所は、旧南ベトナム政府関係者が共産主義体制に適応できるように政治教育および開墾事業を実施する再教育キャンプと呼ばれる場所であった。サイゴンからの余剰人口を吸収するためのものであり、収容された人びとの多くは、開墾・開拓事業に従事することとなった。ミーは昼間、グレネード手榴弾などを回収したり、簡易住宅を建設したりしたという。収容された人びとが三人ずつのグループに分けられ、ミーはその三人グループのリーダーとなった。そして、夜はマルクス・レーニン主義、ホーチミンと共産主義革命、帝国主義の罪に関する講義を受けた。軍人に監視されながら日夜、与えられる仕事をこなしていくという毎日であったが、一年以上経った一九七六年九月にミーはサイゴンに帰還することができた。つまり、三日といわれた収容は結局一年三か月にわたった上に、当時は具体的にどこにいたのかということについても知らされていなかった。その後二〇年以上経った後に、ミーは自分がクチ（ホーチミン市から四六キロメートルほどの場所）にいたことを知ったという。

ベトナム戦争中から家計は長女であったミーに託されていたが、銀行に全て預金していたため、戦後、銀行が国営化され財産が失われた。また彼女の学歴やキャリアに相応しいような以前のような仕事はなかった。そのため再教育キャンプから帰還してからは、日銭を稼ぐ必要があった。そのためミーは、路上でグアバを売ることとし、仕入れたグアバを売ることができれば五〇〇から六〇〇ドン稼ぐことができ、家族が食べるための米と野菜を買うことができた。一人一日一個のアヒルの卵を食べることができる日もあったが、主に炊いた米に魚醤をかけただけのものを食べる日々であり、時には米を買うほど稼げず、昼食や夕食にグアバを食べたり、近所の人に残飯をねだったりしなくてはならなかった。そのうえ、母親は糖尿病であったがその稼ぎでは治療に必要なインシュリンを買うことはできなかった。

この頃の状況をミーは、次のように語っている。「再教育キャンプから出た時、希望がありませんでした。毎日、両親や兄妹が苦しんでいることがわかるたびに、とくに母親が苦しんでいることを知るたびに、寝ている間に自分が死ぬことができればと願ったものでした」[10]。しかし、希望がない状況でも彼女は家族のために生きなくてはならなかった。

グアバを売るだけの収入だけではギリギリの生活しかできないため、闇市にも出入りするようになり、田舎で仕入れたラードをサイゴンで転売するなどもした。そして闇市で、旧南ベトナム軍のヘリコプターパイロットと出会い、その人物が知り合いの知り合いであり、信頼できることがわかったため、ベトナムから出国する計画を相談するようになった。当時BBCやVOAなどの英語放送をラジオで聞くことができたミーは、船での出国に関する情報を知り、そうした情報を手がかりとして計画を立てていったという。具体的には、元パイロットが計画を立て、ミーは計画を実行するための資金集めの役割を負うこととなった。その資金は、出国のための漁船と、一次庇護国（難民が自国を出国した後に一時的に保護を求める国）まで到達するための船旅に必要な物資の購入に必要であった。同じ船で出国することとなった集団は、ミーを除いて男たちのみの一九人の予定であり、彼女は英語が話せたため資金集めのためだけでなく、出国し別の国に到達する言語ツールを提供できる仲間として必要とされていた。

ミーたちは一九七六年のクリスマスにベトナムから出国することを決めたが、一二月二四日に別の船が拿捕されたというニュースを聞き、計画を延期し、出発は七七年一月二〇日とした。ミーは自分の家族には直前になって告げた。この時、彼女は二八歳だった。家族と話し合った結果、英語ができない両親はベトナムに残るが、三人の若い兄妹を連れて行って欲しいと言われた。購入した漁船は長さ九メートル横幅七メートルのもので定員に余裕があるわけではなかったが、ミーは兄妹二人を連れていくことに同意した。

ミーは、出国日前日に一四歳の弟だけ先にその漁船に乗せた。船は漁をしているふりをする必要があるため、ミーは漁船には後で乗り込むこととし、出国前に闇市で家族にもう少しお金を残すために最後の商売をすることとした。闇市での取引が終わり漁船と落ち合う予定であったが、その日の夜には合流することができず、幼い妹を連れてその翌日に合流することとした。漁船は漁をしているふりをして少し沖合に停泊しているため、その船に乗り込むためにカヌーを入手することを画策していたところ、出国計画に勘付いた知り合いの男が彼の家族九人を連れて行くように要求してきた。それを拒んだために、ミーが出国を画策していることを警察に密告されたという。出国を取り締まろうとする警察官に追いかけられてミーは、取り急ぎ身一つで逃げるしかなかった。妹を置き去りにせざるをえなかったわけだが、妹はミーがどこに行くかわかっていたため追いかけた。しかし結局ミーは妹を置き去りにして、一人でカヌーに乗り、漁船に乗り込み、先に船に乗っていた弟と再会することができた。

その後漁船はハリケーンに遭遇し被害を受け食糧に被害が出るなどしたが、数日間漂流したのちアメリカ海軍に救出された。漁船での出国に要した日数は八日から一〇日程度だった。アメリカ海軍によってシンガポールに到着することができ、ＵＳＣＣが在シンガポールのアメリカ大使館から発出された写真に映ったミーを確認し、船の仲間たち二三人全員のスポンサーになってくれたため、ミーは三か月後の一九七七年四月一三日に弟とともにアメリカのコネチカット州に再定住した。

## ◆消えないトラウマ

出国の経験をもとにして、ミーは一九八九年に「出発」と題する詩を書いた。[11]

出　発

川岸で別れなければならなかった
さよならを言わなければならない時が来た

妹は私の手を握った
妹の目は赤かった
そして、私は妹の手を強く握りしめた
私の涙がこぼれ落ちた
妹の顔に数本の髪の毛がへばりつく
そして、私は妹に手を伸ばした
「強くなって」
「あんまり泣かないで」
妹は手を伸ばし、私の髪の間から指を掴んだ
言いたいことは山ほどあった
しかし、私たちは、何を言っていいのかわからなかった
その瞬間まで、私たちは多くのことを共有していた

さよならを言う瞬間まで
私たちは、こんなに愛し合っていたとは思わなかった
私たちは、別れる日が来るとは決して思っていなかった
私は自己嫌悪し、海へ出る小舟に泣きついた
妹は川岸に立ち、両手を顔に当てていた

妹は両手をまっすぐ伸ばして手を振ろうとした
夜が自分を突き抜けたような衝撃で私は倒れこんだ
私は「あなたと家族のことを決して忘れない」と叫んだ
妹の唇が「私たちを忘れないで」と動いた
私は海に向かってボートを漕ぎ出した

その午後、川はとても荒れていた
それは私の悲しみにもだえていた
それは私のカヌーともだえていた
すべての風が嘆き、大きく吹いていた
風はとても惨めに響いた
風が泣いているように聞こえた
雷が空を引き裂いた
雷は怒っていた
雷は痛みを感じていた
稲妻は止まらなかった

雨が降り出した
私の魂に雨が降った

振り返ると、もう妹の顔はなかった
妹の指が、私の目にぼんやりと映った
私の涙の雫は、私の顔に降り注ぐ雨と混ざり合った
カヌーの側面に飛び散った塩水のような味がした
最後にもう一度見ようとして振り返った
妹の指は雨に誘われた
私は涙をこらえた
私は前に進もうとした
その日の午後、海はとても荒れていた
そして、私は終わりを見ることができなかった

一九七七年の情景を描いた詩を、それから一二年も経った一九八九年に書いたのは、当時、ミーが出国経験のトラウマからPTSDに苛まれていて、それを乗り越えるためであったという。この詩は、一五〇編ほどの詩を書いたなかの一編である。二〇一五年の「ヨーロッパ難民危機」がメディアで取り上げられる頃まで、この詩を他人に読ませたり、自分の出国経験をミーが人前で話したりしたことはなかった。

経験を話すことを決意した背景には、「アフリカからの難民が船で出国し、海で亡くなっている状況を目にしたことによって、多くの記憶がフラッシュバックした」ことがあったという。ミーは、自身の出国の記憶やそのトラウマと向き合うために話すことを

決めたのだった。さまざまな報道や映画などでアフリカからの難民とならざるをえなかった人びとが取り上げられているが、「誰も彼らが脱出するためにその船に乗る前に、彼らが何を経験しなければならなかったかについて考えることはない」ことに憤りを感じると彼女は述べる。[12] 脱出の決断をするための苦悩や悲しみは、彼女が母親、父親、兄妹から離れ離れにならなければならなかった時に感じたものと同じようなものだと想像するという。こうしたトラウマは忘れられるものではない。

## ◆戻ることのない家族

ミーにとってアメリカでの新しい生活は見知らぬ土地で、異なる文化、生活習慣の違いや気候の違いなどに直面し、孤独と恐怖の連続であったという。その頃はしばしば、眠りにつくまで泣きながら、両親や姉妹、ベトナムの喪失を彼女は弟と二人で嘆く日々を過ごしたという。しかし一四歳年下の弟との二人の生活は、彼女自身に母親の役割を与えるものでもあった。苦しみも希望も夢も分かち合いながら、弟に良い教育を与えること、より良い生活を確立すること、ベトナムに残してきた貧しい家族を支援するために送金することができるようにすることを心がけたという。

ミーのアメリカでの生活は困難の連続ではあったが、英語ができたため保険会社に就職し、住む環境としては十分なアパートを借り、四か月後には車を購入することもできた。彼女は、この過程で多くの同僚から受けた親切を忘れることができないという。なぜならば、アメリカでの生活の方法を教えてもらうことで、アメリカでの生活に早く慣れることができたからだ。

その一方で、ベトナムに残して来た家族を呼び寄せようと、ミーは一九七九年から一〇年ほどの間、毎年、考えられうるさまざまな政治家に助けを乞う手紙を書いた。ベトナムとアメリカの外交関係が改善しないため、家族の出国は困難を極めた。支援することを断る政治家が多い中、移民帰化局や在タイのアメリカ大使館関係者に連絡をし、アメリカへの家族呼び寄せのための書類作成を開始するための手助けをしてくれた政治家もいた。そうした尽力のおかげで、彼女の家族がアメリカへ入国するためのビザ査証は一九八四年に取得できた。だが、ベトナムからの家族の出国を可能とする手続きは全く進まなかった。ベトナムを出国し、アメリカに入国するためには在タイ・アメリカ大使館職員との面談が必要であったが、在ベトナムのフランス大使館を通じてその面談が設定される必要があり、その面談の予定がないまま一年が過ぎ、数年が過ぎていった。

家族がもう少しで出国できるかもしれないができないという状況を何とか好転させるため、ミーは引き続き考えられうる人たちに手紙を書き続けた。一九八九年頃、その手紙を受け取ったジョン・マケイン上院議員が助けてくれることを約束し、アメリカ人行方不明兵士（ＭＩＡ）問題で上院議員がベトナムを訪問した際、ミーの家族の出国手続きが大きく動いたという。マケイン上院議員のベトナム訪問から六週間後、彼女はついに家族とアメリカで再会することができたが、この再会を待つ間に、彼女の母と二人の姉妹はこの世を去っており、ミーの家族全員が揃った形での再会は叶うことがなかった。

ベトナムの家族を全員呼び寄せ、アメリカで家族を再構築することはできなかったが、ミーは、アメリカの生活において多くの人びとが助けてくれたことを「人生の天使」の助けだと感じている。一生助けてくれるわけではないが困ったときに助けてくれるので、「彼女は彼女自身の闘いを続けることができる」という。

その一方で、ミー自身は、アメリカにおいてベトナム系アメリカ人の若者世代と親世代が経験を共有できない状況にもどかしさを感じているとも述べる。

> 私たちの世代は、子どもや孫たちに対して自身の過去の経験を語りたくはありません。私もそのなかの一人であり、過去と向き合うことは多大なエネルギーを要することで、そのような贅沢な時間を持てないのです。また、アメリカ生まれのベトナム系アメリカ人の若者世代の多くは、自身の伝統や家族の歴史を知ろうとせずにいます。持っているものに対して感謝していないのです。彼らはアメリカ人の若者のようになっています。要求過多で、自己中心主義的で、素晴らしさを維持するために何をするべきかを考えたり、現在の生活に感謝したりするのではなく、親や社会に責任があると考えるのです。しかしながら、責めることはできません。彼らはアメリカ人なのです。[13]

ミーは、ベトナム戦争後のベトナムで再教育収容を経験し、漁船で出国することによって家族との離別を経験することとなった。そのため、アメリカへ移住したことは大きな犠牲を払うことであり、その犠牲はいまだに癒えることのない苦しみをもたらし続けている。そしてその苦しみは次世代との隔絶を生み、その苦しみを伝えることは容易なことではない。

ベトナム系アメリカ人研究者ロン・ブイは、「難民とその子どもたちは、過去に起こったことから決して真の意味で自由になることはない」と述べる。[14] これは同じくベトナム系アメリカ人研究者であるキム・グエンが指摘するように、「難民たちは歴史的忘却という贅沢を持てない」状況なのである。[15] キム・グエンが述べる「贅沢さ」とミー・グエンが述べる「贅沢さ」は共通している。それは難民になったことによって奪われたものであり、難民となった人びとはその喪失と向き合わざるをえないのである。私は、二〇〇六年にミーに出会い、これまで彼女の経験を断片的に聞くことはあったが、二〇二三年になってやっとその全体像に近づいた気がしている。それでも、それは一部に過ぎず、彼女の喪失をいまだ十分に理解しえないことを痛感している。

## ●「約束の地」からの脱出——米国黒人のメキシコ農園入植と集団脱出

佐藤勘治

一八九五年五月二四日、米国のある新聞一面に「アメリカ黒人四〇名殺害」とするテキサス州エルパソ発の記事が掲載された。この大見出しに続けて、小見出しに「メキシコにおける黒人の野蛮な扱い、売られ囚われの身に」とある。記事は「衝撃的」出来事だとしたが、人数の多さだけでなく「殺害」が米国ではなくメキシコでの出来事だったからだろう(1)。

のちに詳述するように、記事の約三か月前、メキシコ北部の綿花農園に米黒人の集団移住が行なわれていた。記事は、この農園から脱出してきたクレイバーン（Clayburne）一家が新聞掲載日前日の二三日に鉄路で国境の町エルパソにたどり着いたとし、一家の体験を次のように簡潔にまとめている。

> クレイバーンによると、サンアントニオ［テキサス州］に住むビル・エリスという黒人が昨年秋にジョージア州とアラバマ州を訪れ同二州から植民団八〇〇人を説得、自らしたがえてメキシコ・セントラル鉄道沿いのマピミ［ドゥランゴ州］から東に四〇マイル、ドゥランゴ・コアウイラ州境にある不毛な谷間に植民させた。エリスは、土地は豊かで家族ごとに住居が無料で与えられるとし、理想の楽園に行くと同胞らに伝えた。しかし、哀れな黒人たちが［二月に］目的地に着くとメキシコ人監視人のもとで土地整備に駆り出され、その仕事に報酬はなかった。食事は最悪で、地面に寝ることが強いられた。五月九日、クレイバーン一家とそのほかの黒人およそ

四〇名は逃亡し、武装したメキシコ人に追跡された。クレイバーンは他の逃亡者と別れ、チワワ市に到達できた。

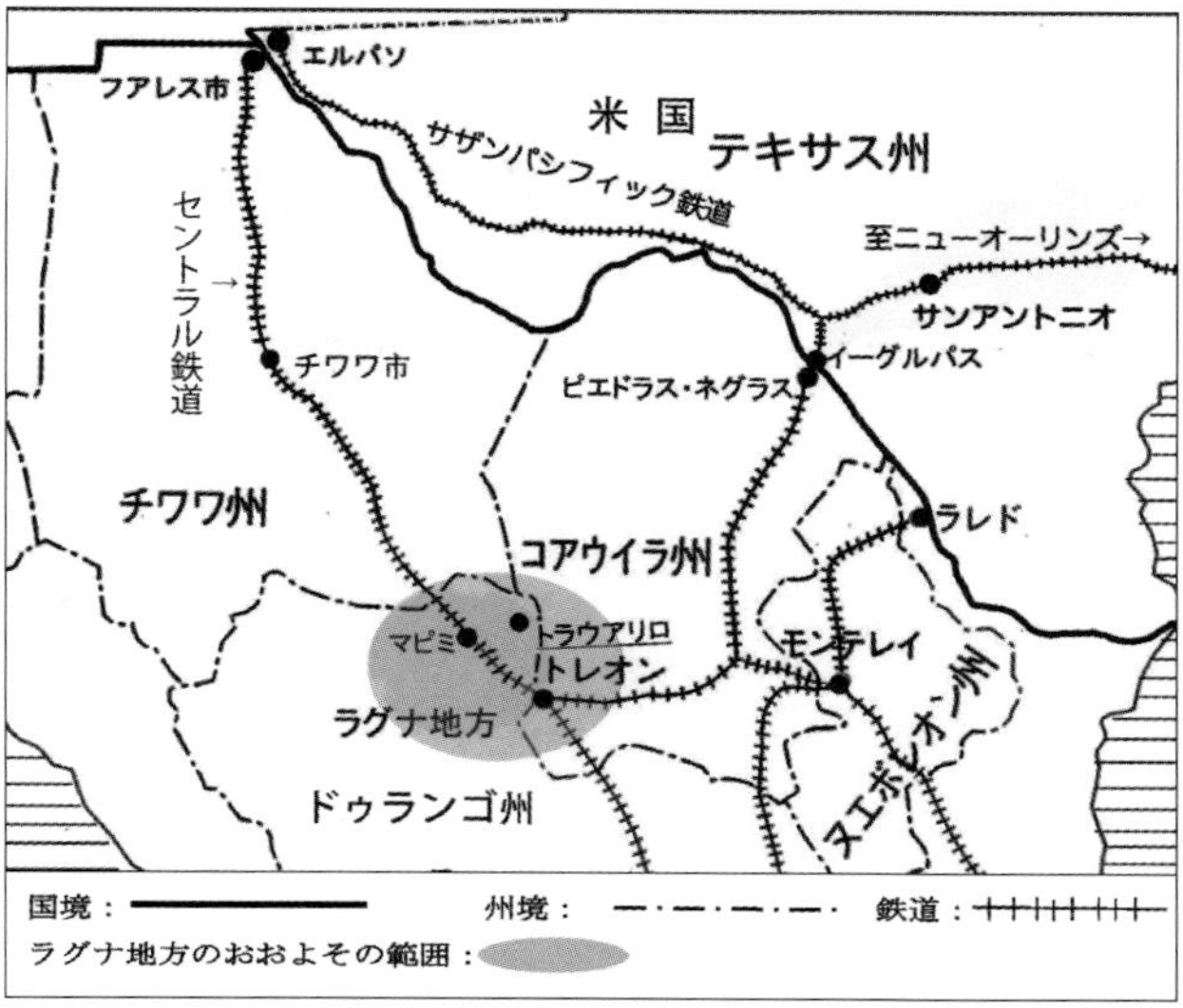

地図１　メキシコ北東部国境付近（19 世紀末ころ）

記事にある米黒人たちの集団入植地は、トラウアリロ（Tlahualilo）農園である。チワワ市には米国領事館があり、クレイバーン一家は保護を求めた。米国民であることから領事は保護し、聴取したのちエルパソに送った。一方、一緒に逃れたおよそ四〇人が「殺害」されたと証言したのは、クレイバーンではなく、逃亡者のひとりでクレイバーンと同じ日にチワワ市の領事館に単独で助けを求めた別の黒人だった。記事は次のように続く。

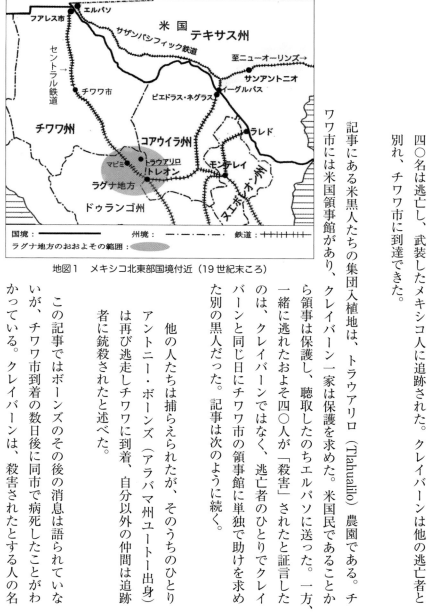

他の人たちは捕らえられたが、そのうちのひとりアントニー・ボーンズ（アラバマ州ユートー出身）は再び逃走しチワワに到着、自分以外の仲間は追跡者に銃殺されたと述べた。

この記事ではボーンズのその後の消息は語られていないが、チワワ市到着の数日後に同市で病死したことがわかっている。クレイバーンは、殺害されたとする人の名を複数この記事内で挙げている。ボーンズの証言をチワワ市で知ったということだろう。つまり、メキシコ人による米黒人の大量「殺害」は伝聞情報である。

記事は真相を伝えたのだろうか。在メキシコ米国領事館はクレイバーンやボーンズ証言の真偽をめぐって情報収集に当たった。当時、米国南部から他地域への黒人の流出が問題視されていた時期である。そのためだろうか、メキシコ北部への黒人入植と入植地からの脱出は米国の新聞紙上で繰り返し伝えられている。

七月になるとトラウアリロの入植者間で天然痘の犠牲者がでて、脱出者は急増した。米国政府は鉄道運賃を肩代わりして、脱出した黒人を国境の町イーグルパスに運び、緊急設置したキャンプに隔離した。トラウアリロに最後まで残った入植者は五〇人ほどだと言われている。結局、米国黒人入植計画は失敗に終わり、その後も同様な計画が復活することはなかった。

この章の最後で再確認するが、当時の米国黒人にとってメキシコの農園に入植することは「脱出《エクソダス》」を意味した。この章では、「約束の地」とされた場所から再び脱出を決断した黒人入植者たちの心情に近づきたい。そのため、彼らの「語り」をできるだけ紹介する。(2)入植地の状況については不明な点も多く、ここでは一部言及するにとどめる。殺害報道の真偽および集団脱出については後半で述べ、前半では入植事業について説明する。(3)

## ◆「解放と自由（Liberty and Freedom）」の旗を掲げる入植者列車

集団脱出と殺害が報じられたおよそ三か月前、一八九五年二月二日午後、サザンパシフィック鉄道モーガン駅（ニューオーリンズ）の裏部屋には、アラバマ州方面から到着したばかりの黒人集団が乗り換えを待っていた。多くは汽車を初めて利用した人たちだった。風変わりな乗客集団の情報を聞きつけた地元紙の新聞記者が活気ある部屋の様子を伝えている。人びとの喧騒、鶏の鳴き声、犬の吠え声、タバコの煙が部屋に充満するなか、大きな手荷物とともに家族連れの黒人たちの姿があった。総勢三五〇名ほどで、五、六両で到着したと新聞は報じている。(4)

入植者たちは、まもなくサンアントニオ経由で国境の町テキサス州イーグルパスへ、それからメキシコに入り農園最寄り駅マピミに向かうことになる（地図1）。トラウアリロまでにはさらに五〇キロ近くも移動しなければならなかった。四日間の旅程である。ニューオーリンズに到着した車両の側面には「メキシコ―トラウアリロ―メキシコ、黒人のための解放の地」と記されていて、「解放と自由」と記された旗があちこちに掲げられていた。記者は警察官が守っている出入り口から集団に入り込んで、黒人たちにどこで何をするのかと尋ねた。一人は、「旦那、私はそれについちゃ何も知らない。新しい土地を探しているところだ。私が知っているのはそれだけだ」、別の男性は、「メキシコは自由の地ということだ。食べたいものは全て手に入り、着たいものももてる。そう言われたものだから行くことにした」と答えている。

アラバマ州などで配布された入植者募集案内には、メキシコが「神と解放」の国であり、初年度の収穫があるまで鉄道運賃、衣服、食糧、薬、その他必需品の代金請求はないと記されている。さらに、「美しい」移住地の概要と移住条件が紹介されている。入植者には、綿花、トウモロコシ、その他収穫の半分が与えられる。さらに、募集案内には次のような魅力的な言葉が記されていた。メキシコではどんな市民も平等である。労働力不足がひどいが、中国人やイタリア人よりも黒人を求めている。一〇〇家族ごとに教会と学校が設けられ、説教師を仲間から自由に選べる。勤勉に無駄遣いせず働けば、一年で一〇〇〇ドルから一二〇〇ドルが稼げると。(5)

## ◆「約束の地」トラウアリロ

目的地であるトラウアリロは、一八八〇年代にメキシコ最大の綿作地域となったラグナ地方にある。以前は同名の湖だったが、流れ込んでいた川の流路が変わって湖底が露わになった地である。一八八五年、綿花栽培を主な目的にラグナ地方の農業者とメキシコ市のスペイン人企業家によって「トラウアリロ農業会社」(一八九八年に「トラウアリロ農工業植民会社」に名称変更)が設立された。四万四〇〇〇ヘクタールという広大な土地が買い取られた。一八八八年、会社は運河建設と入植計画をメキシコ政府から承認された。綿繰り機や綿実油工場なども備えた近代的農業経営を意図した会社である。一八九六年に幹線鉄道から農園に直結する支線ができたが、入植時にはまだ完成していない。(6)

入植計画を主導したのは、冒頭新聞記事にあるウイリアム・エリスである。エリスは、前年一二月トラウアリロ社と契約を交わし、少なくとも一〇〇家族の米国黒人入植を請け負った。同社との契約事項には、一八九五年二月一五日までに入植者が契約の人数に達しなかった場合、運賃や必要物資などに関する条件を履行しないという条項があっ

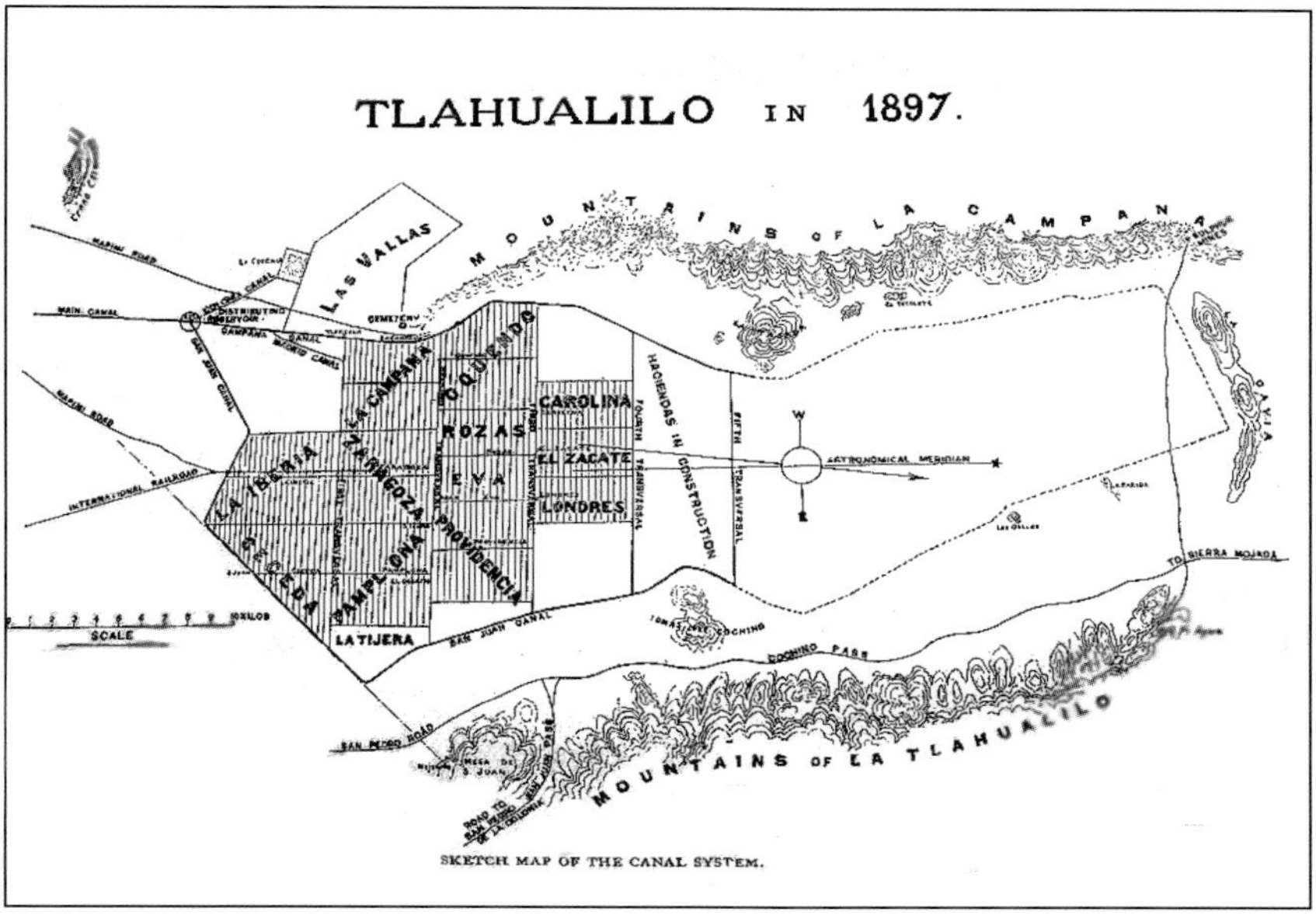


図1　「トラウアリロ農園（1897年）

出典：C. P. Mackie, “Canal Irrigation in Modern Mexico,” *Engineering Magazine*, vol. 13, May, 1897, p.184. 立教大学図書館所蔵。

た。それゆえ、募集は急を要していたはずである。収穫の分配率は、入植者五割、トラウアリロ社四割、エリス一割である。最初の三か月については、入植者一人当たりメキシコ銀で月六ドルを食糧など必需品用に支給する。そのうち半額は、初年度収穫分からのちに徴収する。また、鉄道運賃についても、初年度収穫分、二年目収穫分からそれぞれ半額ずつを徴収するとされていた[7]。

入植地に向かう列車にはエリスも乗っていた。記者は、待合所の外でエリスを見つけインタビューしている。「これから先六〇日あるいは少なくとも六か月のうちに、黒人一万人をメキシコに移住させたい」、「一〇年以内に南部黒人の三分の二がメキシコにいることになる」と語っている。エリスによれば、入植者の多くが列車に乗り込んだアラバマ州タスカルーサでは五〇〇人かそれ以上の人が仲間を見送りに来ていた。列車通過地点では、メキシコ移住を希望する黒人から「白人さん、今度ここを解放車両はいつ通る?」という期待の声が聞こえたと述べている[8]。

エリスは当時「自由の地に導くため神に選ばれたモーセ」を自称していた黒人である[9]。入植地についてエリスの言葉を記者は伝えている。「彼らを監視するものはいない。だれもが自らの意志で仕事に行く。恵の雨が降らない地域だが、灌漑で最良の収穫が得られる。何台かの綿繰り機、綿実油絞り、黒人用日常品店がある他、政府の保護が与えられる。教会を建て、学校をもつ機会が与えられ、今回向かう人員の中には新聞を始める黒人もいる。この国が彼らに負わせているどんな障害もない」と。

入植者たちは、二月六日にトラウアリロに到着した。第二団も二月二七日に到着した。黒人入植者数は合わせて八〇〇名以上となった[10]。

だが、入植地は「楽園」でなかった。サンアントニオ発三月五日付の新聞記事は入植地から脱出した黒人について「仕事が気にいらなかった」という見出しで次の短報を伝えた。「黒人二五名が五日朝アラバマ州に向かって徒歩で当地を通過した」と。マピミに着いたその週のうちに出発したという。脱出は到着直後から始まっていたということである。この記事は入植地の具体的状況に触れていない[11]。

## ◆クレイバーン証言と「四〇名殺害」の真偽

米国黒人「四〇名殺害」の情報は正しかったのだろうか。冒頭の新聞記事に戻り、その後の調査経緯を紹介する。

新聞が伝えたクレイバーンの語りは、チワワ領事バークによる五月二一日付け聴取内容と一致している。証言者名は「クレイバー（Claber）」、「炭坑夫」と記載されている。名前の綴りは、別資料では Claiborne であり揺れがみられる。宣誓署名に×印があることから、クレイバーンは識字者でないことがわかる[12]。

領事報告には、クレイバーンの発言として「入植者の多くが病気になっていて医療を受けられずにいる」、「入植地から逃亡を試みれば死罪になると彼自身が信じている」とある。「四〇名殺害」の情報源は、クレイバーン一家とは別に同じ二一日に到着した入植者ボーンズである。ボーンズについてバークは次のように報告している。到着時、痛みを訴え会話もやっとの状態であった。肺炎と診断されて入院、五月二六日に死亡した。事前にボーンズから聴取した話によれば、ボーンズは、仲間三九名と逃げたが、翌日農園に雇われた武装メキシコ人に見つかった。戻ることを拒否したため、ボーンズ以外の三八名が銃殺された。ボーンズは、前方を離れて歩いていて隠れることができ、ボーンズの容体の悪化と死によって本人から宣誓証言が取れなかったため証言の正確性に不安があるが、入植地の状況に憂慮すべきものがあると領事は国務省に報告している[13]。

一方、新聞報道を知ったエリスは、誤りを指摘する書簡を、脱出を試みた当人の署名付き「事実表明（Statement of Facts）」とともに五月三一日付で国務長官グレシャム宛に送っている。「事実表明」は一つだけで、一二名が連名で署名している。綴りに異同があるが冒頭新聞記事において殺害されたと記述されている名が確認できる。署名には、いずれも×印がある。(14)銃殺情報が否定され、脱出理由がおおよそ次のように説明されている。

米国の新聞において、私たちが囚われの奴隷であり、私たちを含め四〇人が五月九日に殺されたと報道されているのを知った。黒人に対して最もよくしてくれるエリス氏の評判と植民の将来について正義がなされるべきである。エリス氏は、ニューヨークに出発し当地には帰ってこないと聞き私たちは絶望した。彼はこの地で唯一の信頼おける知人である。収穫は彼の助けなしでは望めない。結局私たちは米国に行くことを決意した。道がわからないまま山中を進んだ。追いかけてきたメキシコ人から水をもらいエリス氏はニューヨークからメキシコに戻る途中だと教えられた。馬車で農園に戻ることができた。死んだものはいない。今は、綿花のことを考えている。

エリスに対する信頼が強調されているこの「表明」は、エリスが自ら書き留めたものである。エリス自身による聴取であるから、エリスの意にそって語られた可能性が高い。少なくともエリスは自由に記述することができたはずである。

一方、米国の新聞紙上では、エリスの暴虐によって四二人が逃亡、三二人が犬のように殺され、残り一〇名は入植地に戻されて厳しい罰を受けたという報道が広まっていた。(15)つまり入植地での扱いについて極端に違う二つの情報があった。

こうした状況のなか、在ピエドラス・ネグラス米国領事スパークスは入植地をよく知る人物から情報を集めた[16]。入植者が何人か領事のもとを訪れ、農園の処遇が悪いと苦情を述べたからだと情報収集の理由を示している。

ピエドラス・ネグラスは、トラウアリロから直線距離で四〇〇キロ以上離れた国境の町である。領事館を訪れた黒人は米国に戻る途中だったはずである。五月の集団脱出は特別なことではなかったと思われる。

スパークスは報告書（六月二二日付）を国務省に送付し、その結果を広く公表するように進言した。入植地における米国黒人の状況を知らせることで新たなメキシコ入植を妨げることになると述べている。実際、内容の一部は新聞で公表された[17]。

## ◆集団脱出のリーダーが語る脱出の理由

スパークス報告書冒頭には、五月集団脱出に加わった入植者四三名のリーダーだとするカードウェルよる署名付き証言（六月一一日付）が置かれている。エリス書簡証言の署名者一二名の一人でもある。以下で示すように、「四〇名殺害」情報を全否定する点はエリス書簡と同様であるが、脱出理由など証言内容は異なっている。

カードウェルの証言はニューヨーク市在住の「優れて知識豊富で聡明な」マッキーがまとめ、スパークス領事に渡されたものだった。つまり、領事がカードウェル本人から直接聞き取ったものではない。マッキーは、集団脱出事件後トラウアリロ農園に数日間滞在していた。その間、黒人たちに混じって生活状況などを聞き取っていたという。集団脱出についてもカードウェルから直接情報を得ていた。

写真１（上）　綿花農園の監督とその部下
写真２（下）　秋灌漑後の綿花農園
　出典文献に撮影地は明記されていないが、トラウアリロ農園の可能性が高い。出典文献の著者は本文中にマッキーとした人物である。写真１の出典：C. P. Mackie, “Canal Irrigation in Modern Mexico,” *Engineering Magazine*, vol. 13 ( May, 1897), p.195. 写真２の出典：Ibid., p.193. 立教大学図書館所蔵。

領事によれば、マッキーはスペイン語が堪能でメキシコ人の習慣にも精通していた。マッキーの滞在理由は明確ではないが、エンジニアでありトラウアリロ社の招きで滞在していた可能性が高い。

　スパークス報告にあるカードウェルの証言内容は、意外なものである。農園を「離れた唯一の動機は息子たちの望みを満足させる口実としてであった。息子たちはアメリカ合衆国に逃げ帰りたいと熱心に願っていた」。自分一人だけでは多く綿花を収穫することはできない。脱出を試みれば、そのことで収穫に欠かせない働き手「ほぼ成人である」息子二人の気が鎮まり、再び農園での仕事に戻れる。「方向が違うと分かっていながら山中をいくぶんか進んだが、今度は農園に向けて一団を向かわせた。逃げ出すのは思慮深い試みではないと仲間に分からせた」。仲間のうち半数二一名はそのまま進むと主張し別れた。

マッキーは、逃亡を試みた仲間が農園に連れ戻されたときの状況をカードウェルから次のように聞き取っている。騎乗したメキシコ人たちに見つかったとき、バラバラに隠れた。そのとき空に向けて発砲があったが、脱出者の注意を引くためであり撃たれたわけではない。騎乗したメキシコ人たちは、水のありかや道を知らないはずだからと農園の総支配人からの指示で捜索にきた救援隊だった。水と食料をもらうことができた。残り二一人全員が農園に戻った。銃撃され怪我をした米国人はいない。

入植者名簿をみると、カードウェル一家は一〇人家族、夫婦（五〇歳と四九歳）と子供八人である。「ほぼ成人」とされているのは、ジョン二〇歳とホカスター一八歳であろう。[18] 証言を素直にとれば、カードウェル自身は農園を去るつもりがなく、むしろ農園に残って収穫することを強く願っていた。

脱出が芝居であったとするこの証言は、にわかには信じがたい。農園に戻っている状況で農園関係者を介した証言である点を考慮すればなおさらである。しかし、真実あるいは決断が揺れていた可能性も残る。報告で黒人の語りに嘘が多いとスパークスは表明しているにもかかわらず、証言には疑念を示していない。五月の集団脱出事件に関する調査は以後行われなかった。[19] 私たちはカードウェルの心情を限られた資料から想像するしかない。

## ◆米国黒人にとっての「脱出」

これまで述べてきたように、到着直後から入植者は少しずつトラウアリロを脱出している。五〇〇キロほど行けば国境に達するという条件は脱出する決断を容易にしただろう。だが、異国での脱出には困難が伴ったはずである。それにもかかわらず、ここまでの脱出事例から考えると、脱出の決断は待遇改善要望や反乱よりも容易な選択だったように感じられる[20]。

一九世紀末米国南部ではジムクロウ体制が強化された。黒人差別が新たな段階に向かう時代である。奴隷解放以前、逃亡奴隷は北を目指しただけでなく、あまり知られていないが南のメキシコにも逃れた[21]。メキシコは独立初期に黒人系の大統領ゲレロが就任した国である。先住民出身の大統領ファレスもいた。入植者募集にあたって入植地は「約束の地」「理想の楽園」だと宣伝されたが、その意味でまったく根拠がなかったわけではない。人種問題がないとされることが多いメキシコという異国への移住は、米国黒人にとっては一種の「約束の地への脱出《エクソダス》」であっただろう。

そうした心情を示す文書もある。以下は、入植者のひとりだとする人物が黒人紙（週刊）『フリーマン』に投稿した手紙である[22]。

編集者さま

私は今、世界の新しい地にきています。私が今まできたことのなかった場所です。ここには、かつてアメリカ合衆国住民だった総勢一三六五人もの私たち黒人の入植地があります。入植地には年少の子が二四三人いて、その四分の三が学校に通っています。私たちがアメリカ合衆国を離れなかったのは、そこがずっと我が家であって欲しいという思いからではなく、リンチ法などの野蛮さのせいでした。〔中略〕それから私たちは、一八九五年二月六日、メキシコのこの地に降り立ちました。それからこれまで経験したことから言えるのは、一人の黒人が自らの人間性を認めてもらいたかったら、法律があまねく人々に平等に行き渡る国に住もうと望むなら、メキシコがその土地だということです。私たちは自由な政府のもとで自由な人間だと感じています。

私の職業は農業です。地上のこの地表以上に素晴らしい天候と土壌があるところはありません。〔中略〕

ドゥランゴ州マピミ駅にて、一八九五年四月二七日　牧師S・F・トッド

そして、クレイバーンやカードウェルの二人の息子たちは再び「脱出」を選んだ。脱出を決断するまでの経緯はわからない。だが、ためらいはあっただろう。今度の脱出に「約束の地」はなかったのだから。

＊　＊　＊

ここで扱った一九世紀末の米黒人の移住は合法的だった。移住地までの旅費が前払いされ、不十分だったとはいえ生活が保証された。さらに、移住地から脱出する人たちが困難に陥ったとき、米国政府は支援に乗り出した。

いま、一世紀以上前に米黒人が鉄路で越えた米メキシコ国境には、南から人びとが殺到している。強引な越境は為政者にとって解決すべき問題だとみなされているが、自分や家族の命や生活を守ろうとする当事者にとっては必死の解決策である。結局、国境の南側で夢を絶たれる人も多い。

いつの時代でも、脱出は弱者の武器である。しかし、現代世界においては脱出さえも容易ではなくなっている。

# ●南北戦争における「脱走」の意味するもの

佐々木孝弘

これからお話する人たちの記録に私が初めて出会ったのは、今から一七年ほど前のことでした。当時、私はノースキャロライナ州の離婚訴訟の記録を丹念に読んでいる最中でした。そのリサーチの中でノースキャロライナ州ランドルフ郡出身の男性の離婚に至る経緯を詳しく調査する必要があり、彼が南北戦争中に所属していた州第二二連隊の部隊Iの記録を読んでみたことがきっかけです。

記録を読んでいくと、この部隊からは当該の男性を含めて驚くほど多数の脱走者を出していたことが分かりました。その多くは、自ら志願して戦争に参加した若者たちでした。徴兵されたわけではなく、自ら志願して戦場に行った若者がいままさに仲間が命をかけて戦っているときに脱走するという行為に踏み切ったのはなぜなのだろうかという強い疑問を抱いたことを今でも鮮明に記憶しています。

一八六一年六月五日、ノースキャロライナ州ランドルフ郡の若い青年二人、ミルトンとアンドリューのジャーレル兄弟が住み慣れた家を出て、志願兵として戦争に参加して、州第二二連隊の部隊Iに加わりました。翌年の三月一日にはジャーレル兄弟のすぐ近くに住む隣人たち（ロビンズ兄弟とネイサン・リッチ）が、同じように志願してこの部隊に参加しました。彼ら五人の兵士としての行動は軍に残された記録によって確認することができます。その行動の記録をもとに、兵士たちの心の中でどんな葛藤があったのかを探ってみたいと思います。

## ◆強く結びつけられたコミュニティ

彼らは、どのような動機で志願したのでしょうか。兵士になれば食べ物や衣服が支給され、給金も支払われ、家に残っていた場合にかかる食費などがなくなる訳ですから、貧しい人にとって志願して兵士になることに経済的メリットがあったことは疑いありません。また、家族を守るために戦うことは男の役割という当時のジェンダー観から「男であること」を示すために志願した人もいたかもしれません。そして、ロビンズ兄弟やネイサン・リッチのように一八六二年三月に志願した人たちには、もう一つ隠された動機があった可能性が考えられます。それは、この時期には南部連合国議会で徴兵法制定への議論が進んでいて、間もなく徴兵法が制定されることが報じられていたからです。つまり、法律の制定以後に徴兵されて戦うよりはその前に志願して兵士になった方がより良い待遇を受けられるという期待感から志願したという可能性を否定できません。

志願の動機が何であったにせよ、すべての志願兵たちに共通して指摘できることは、この戦争が四年もの長きにわたって戦われて、これほどの多数の死傷者を出すことになるとは、ほとんどだれも予想していなかったということです。多くは、数か月か長くてもせいぜい一年程度家を留守にすれば済む問題だと考えていたのでしょう。

それを確認するために、この五人の家族環境を見てみましょう。表1をご覧ください。

一八五九年に結婚したアンドリュー・ジャーレルは妻とともに、自分の母（未亡人）の家のすぐ近くで暮らしていました。母の家には未婚の弟ミルトンがいて、二人で生活していました。アイアデルとレミュエルの兄弟はそれぞれ結婚五年目で、ともに夫婦と

| 個人のプロパティ(属性) | | | | 世帯のプロパティ(属性) | | | |
|---|---|---|---|---|---|---|---|
| 姓 | 名 | 入隊年月 | 入隊時の年齢 | 既婚／未婚 | 職業 | 世帯人数 | 所有財産評価額＊ |
| ジャーレル | アンドリュー | 1861年6月5日 | 23 | 既婚 | 農業労働者 | 2(本人と妻) | $10 (0+10) |
| ジャーレル | ミルトン | 1861年6月5日 | 20 | 未婚 | 農業労働者 | 2(本人と母) | $40 (0+40) |
| ロビンズ | レミュエル | 1862年3月1日 | 24 | 既婚 | 農業労働者 | 4(本人、妻、子ども2人) | $50 (0+50) |
| ロビンズ | アイアデル | 1862年3月1日 | 25 | 既婚 | 農業労働者 | 4(本人、妻、子ども2人) | $65 (0+65) |
| リッチ | ネイサン | 1862年3月1日 | 21 | 既婚 | 農業労働者 | 2(本人と妻) | $25 (0+25) |

表１　兵士５人の個人および家族の特徴

（注）所有財産評価額＊については評価の総額（不動産評価額＋動産評価額）で表示。また、世帯人数とその構成は、センサスの記載に基づいているので、1860 年６月１日現在の状況である。このため、１年または１年９か月後となる入隊時には子どもの数がひとり増加している可能性がある。

出典：入隊年月日と入隊時の年齢については、North Carolina Troops, 1861-1865, Vol.7, pp. 84-94. その他の項目は、Eighth Census of the United States, 1860, Free Schedules, Randolph County, North Carolina, M653, Reel 910.（注意：センサスのデータは 1860 年６月１日現在のものになるので、それから１年ないし１年９か月経過した入隊時には、子どもの数がひとり増えている可能性がある。）

二人の幼い子どもたちという家族四人で暮らしていました。一八六〇年に結婚したネイサン・リッチは新婚夫婦の二人暮らしでした[1]。

年がそれほど離れていない彼ら五人が幼少の頃からお互いによく知った間柄で、生活を共有しながら生きてきたことはほぼ確実です。子ども時代は一緒に遊んだ相手だったでしょうし、ともに笑い合ったり慰め合ったりしながら生きてきた親しい仲間だったはずです。五人とも職業が「農業労働者」と記録されていますが、もしかしたら同じ農場で働いていたのかもしれません。

長引く戦争がこの五人の家族に大きな痛手を与えたことも、ここで指摘しておいた方がよいでしょう。ロビンズ兄弟が出て行ったあと、残された妻と二人の幼い子どもたちはどのようにして生きていったのでしょうか。ミルトン・ジャーレルは、戦争に行くとき家にただ一人残される母親のことを考えなかったのでしょうか。家を空ける期間が長くて数か月というならばともかく、何年も続くかもしれないと考えたら、とても志願することはできなかったでしょう。

彼らの住居のすぐ近くにはウィリアム・ロビンズが住んでいました。ロビンズ兄弟の叔父に当たる人物で、比較的大きな農場を所有していました。おそらくは、数人の労働者を雇用していたことでしょう。甥にあたるアイアデルとレミュエル、そしてジャーレル兄弟やネイサン・リッチは労働者としてここで働いていたのかもしれません。この五人とその家族が住んでいる家は、ウィリアム・ロビンズの土地の上にロビンズによって建てられた家であって、だから彼ら五人については所有する不動産の評価額がゼロになっていると考えることも可能です。(2)

このように考えてみると、ランドルフ郡のこの地域が地縁、血縁、婚姻によって緊密に結びつけられたコミュニティを維持していて、このコミュニティ機能によって何かあったときにはメンバーが互いに助け合う仕組みができていたことが理解できるでしょう。ロビンズ兄弟の留守の間、おそらく叔父のウィリアム・ロビンズが彼らの妻や子どもたちの面倒を見たでしょうし、もしジャーレル兄弟やネイサン・リッチがウィリアムの農場で働いていたのだとすれば、彼らの妻や母親の食糧も「前渡し」のような形で与えていたのかもしれません。

四年以上にも亘って激しい戦闘が続いた南北戦争は、このコミュニティ機能に打撃を与え、人間関係のありかたを大きく揺るがすことになりました。以下、この五人の行動を検討し、それと合わせて戦場で戦っていた彼らが何を考えてどのような決断を下したのかを見ることで、この戦争の意味を問い直すことにします。

## ◆理解しにくい戦争目的

戦場で戦う南部連合軍の兵士たちにとって、彼らの頭を悩ませた最大の疑問はこの戦争が何のために戦われているのかという戦争の目的が不明確なことでした。

一八六二年四月一六日、南部連合国議会は、この国で最初の徴兵法を制定しました。一八歳以上三五歳以下の白人男性を戦争終了までの期間兵役に就かせることにしたのです。しかし、この法律は、白人男性を一律平等に扱うのではなく、特定の市民にのみ様々な抜け道をも用意していました。職業による兵役免除規定に加えて、身代わりを立てることのできる人については兵役を免除するという内容が盛り込まれていたのです。さらに、一八六二年一〇月に追加制定された、いわゆる「二〇人の黒人」規定では、住んでいる「地域の治安維持を図るために」少なくとも二〇人の黒人奴隷を所有するプランテーションについては、白人男性一人を徴兵から免除するという内容が盛り込まれたのです。(3)

言うまでもなく、これらの規定は多数の貧しい州民たちの激しい怒りを買うことになりました。貧民たちの多くが命をかけて戦っているときに、「二〇人の黒人」奴隷を所有するプランターは兵役を免れることや、金を支払うことで「身代わり」を立てることのできる人は戦争に行かなくてもよいという規定は、不当に金持ちを優遇する政策としか受け取れなかったからです。

この徴兵法への怒りやそれを制定した南部連合国議会への不信感はたしかに多くの貧しい農民や職人たちの間に共有されていましたが、もしいまここで自分たちの生まれ育った土地が敵の攻撃に晒されて家族を守るために立ち上がらざるを得ない状況だったと仮定したら、彼らの多くは納得して戦争に行ったことでしょう。危機に陥った故郷や家族を守ることは男の役目という当時の支配的なジェンダー規範に適合した行動のはずだからです。しかし、例えばここで検討している五人の所属したノースキャロライナ州第二二連隊が参加した主要な戦闘の場は、ヴァージニア州、ウェストヴァージニア州、メアリランド州、そしてペンシルヴェニア州でした。彼らの故郷であるノースキャロライナ州ランドルフ郡から二〇〇マイルあるいは四〇〇マイルも離れた場所で戦うことに、いったいどのような意味を見出せばよいのでしょうか。

この点を代弁して、ウィリアム・リーボックという名のチャザム郡（チャザム郡はランドルフ郡のすぐ東隣の郡です）出身のある兵士は、州知事に宛てた手紙の中で、自分の犯した脱走という罪について次のように語っています。「私はそんなにも許しがたい罪を犯してしまったことになるのでしょうか。［中略］男ならば誰だって家や家族のために喜んで生命を差し出す覚悟が出来ています。しかし、リーとかいう老人のためにヴァージニアで死ぬことが家族を守ることになるとは、私にはどうしても思えないのです。家では今まさに食糧不足のために身体が衰弱してしまった妻が子どもたちを食べさ

せ服を着せようと必死で頑張っているのですから」と。(4)

ここで、「リーとかいう老人」と彼が言っているのは、もちろん南部連合国軍の総司令官だったロバート・E・リーのことです。リーはヴァージニア人で、ノースキャロライナ州チャザム郡やそこに住むリーボックの家族とは縁もゆかりもありません。南部の一一の州のアメリカ合衆国からの離脱と南部連合の結成という歴史プロセスの中で、ヴァージニア州はたまたまノースキャロライナ州と運命を共にすることになった訳ですが、このチャザム郡出身の兵士にとって南部連合というできたばかりの連合「国家」に対する忠誠心はまだ醸成されていなかったということの証しなのでしょう。

## ◆家へ帰るための「脱走」とそのリスク

野営地には、留守宅に残された家族からの便りが送られてきました。きっとこの五人のもとへも「寂しい、会いたい」という妻の訴えや、一家の稼ぎ手を失った留守宅の窮状を伝える手紙が届いたことでしょう。彼らはそれぞれの置かれた状況の中で故郷からの便りを読む訳ですが、すぐにでも帰宅して家族に会いたいという気持ちになったとしても無理のないことでしょう。これが「脱走」という行動を考えるようになった第一の要因だと考えられます。

このことと並んでもう一つ重要な「脱走」の動機が自らの身の安全を確保すること、すなわち激しい戦闘による死傷のリスクを避けることであったことも否定できません。一八六二年九月一七日のアンティータム、そして翌一八六三年の七月三日から五日にかけてのゲティスバーグの大激戦で多数の死傷者を出した後には、特に多くの「脱走」者が出ました。多くの野営地では、とくに夜間に見張りが手薄になることから、闇に紛れて姿をくらまして脱走することはそんなに危険ではなかったのです。

しかし、家族に会いたい、死にたくないという気持ちがどんなに強かったとしても、「脱走」という行為に踏み切ることは実際には困難でした。第一に、兵士の脱走は重大な犯罪行為とされ、軍法会議にかけられて有罪となった場合には銃殺刑が待っていました。五人が所属していた部隊Ⅰにおいても、ランドルフ郡出身と確認できる兵士一二九人のうち、脱走の記録が残されている者は六六人確認できるのですが、そのうち二〇人が軍法会議にかけられ、四人が有罪・銃殺刑となりました。この四人のうち二人については執行が猶予（停止）されましたが、残りの二人については刑が執行されています[5]。同じ部隊の中で毎日顔を合わせていた兵士たち二人が脱走の罪により銃殺されたことは、五人の考えかたにも大きな影響を与えたに違いありません。

「脱走」により無事帰郷できたとしても、その後どうするかについては、さらに苦難の道が待ち受けていました。ノースキャロライナ州法は、脱走兵を匿ったり助けたりすることも「犯罪」と規定していましたから、人目のある日中に自宅の玄関から入って妻との再会を喜ぶというような行為は慎まなければなりませんでした。夜間に裏口から自宅に入り、人目を気にしながらほんの数日間滞在するというだけでも、大きなリスクがあったと考えられます。

自宅の中にいられないとすれば、野山の中に身を隠して密かに連絡を取った妻や子どもたちに夜間来てもらって必要な食料を入手するしかないかもしれません。あるいは、食糧を保存していそうな農家の納屋や倉庫を襲って、貯蔵してある食料を盗み出すということをしたかもしれません。五人と同じ部隊Iに所属していたウィリアム・クロスは、一八六二年の九月から一〇月にかけて脱走しましたが、郷里の野山をさまよい歩いたあと、ベーコンやトウモロコシなどを貯蔵してあることを熟知していた自宅近隣の農家の倉庫から「盗みたい放題に盗んで」生きながらえたのだと、妻のエルミーラが語っています。(6) 他にも、武装した脱走兵によって民家が襲われて純金が盗まれたり、現金や貴金属が奪われたりするという事件が頻発しました。(7)

悪化した治安の中で住民の身の安全と財産の保全を確保するために、州内各地で民兵による脱走兵の射殺事件が起こりました。五人が所属している州第二二連隊の部隊Iでも、一八六二年九月から一〇月にかけて脱走した二人の兵士が相次いでランドルフ郡内で民兵によって銃撃され死亡したのです。このような悲惨な事件は、当然五人も知ることになったでしょう。脱走した二人は帰郷することはできたものの、郷里に居住する隣人の手で射殺されたのです。(8) 二人を射殺した民兵の立場に立って考えてみますと、脱走した兵士は軍役の中での自分の任務を放り出して逃亡した「裏切り者」です。彼らが武装しているために自分たちの地域の秩序が乱されているのであれば、民兵である自分の当然の任務として、たとえその兵士が親戚や親しい友人であったとしても、躊躇なく銃を使ったことでしょう。

このように、「脱走」という行為はそれまで何世代にもわたって築き上げてきた緊密な人間関係を破壊しかねない危険な行為に他ならなかったのです。

## ◆五人の行動

一八六二年九月のアンティータムでの激戦のあと、ロビンズ兄弟の従弟に当たるアブサロム・ロビンズが脱走しました。九月から一〇月にかけての二か月間に、なんと三四人にも及ぶ兵士が部隊Ⅰから脱走するという異常極まりない事態に直面しました。前月の八月に部隊に在籍していたことを確認できる兵士の総数は一〇六人ですから、ほぼ三分の一がこの部隊から消えたことになります(9)。

この年の一二月のヴァージニア州フレデリクスバーグをめぐる五日間にも及ぶ戦闘の中で、ジャーレル兄弟の兄アンドリューが負傷し、フレデリクスバーグ近郊の病院に入院しました。アンドリューは、翌一八六三年三月八日に死亡します。彼の死因については何も記載されていませんが、恐らくは非衛生的な病院の中での破傷風や腸チフスなどの感染があったのではないかと推察されます。さらに付け加えて言うならば、同じ連隊の部隊Mに加わったロビンズ兄弟の従兄のウィリアム・T・ロビンズ（前述した地主ウィリアム・ロビンズの息子）も一八六三年七月ゲティスバーグの戦闘で負傷し、片足を切断したのち、七月二三日にヴァージニア州リッチモンドの病院で死亡しました(10)。

ゲティスバーグは、若い兵士たちに新たな選択肢をも提供しました。七月三日、暗くなって見張りが手薄になったときを見計らって、アンドリュー・ジャーレルの弟ミルトンが秘かにキャンプ地を抜け出して敵に「降伏」しました。すると、翌日の戦闘の最中に隣人のネイサン・リッチがなんと白旗を掲げて「降伏」し、敵の捕虜となったのです。この二人の行動は、あらかじめ示し合わせて行なわれたものと推察されます。捕虜となった二人は、その後アメリカ合衆国へ忠誠を誓ったのち、アメリカ合衆国軍に参加し、メアリランド州第三連隊に配属されました。(11)

なるほど、自ら捕虜となってアメリカ合衆国軍に「寝返る」ことは、同じ連隊でともに戦ってきた仲間たちや郷里に住む人びとへの「裏切り」には違いありませんが、そのまま部隊に留まって戦闘を継続するよりも自分の身の安全を確保する道だったのかもしれません。このふたりの行動を見てみると、南部連合国の戦争目的を納得できなかった若者たちが何度も脱走の可能性を考えながらもそれに踏み切ることができず、自分の身の安全を考えて敵方に「降伏」した経緯を読み取ることができます。

さて、アイアデルとレミュエルのロビンズ兄弟は、この二人とはまったく別の道を選択しました。この兄弟は、一八六二年九月から一〇月にかけて部隊の多くの兵士が脱走したときにも脱走を踏みとどまりましたし、一八六三年七月のゲティスバーグでも部隊に留まりました。この兄弟に転機が訪れたのは、一八六四年五月一三日でした。この日、スポッツヴェルニア裁判所での戦いで銃の暴発により、兄のアイアデルが片腕を負傷したことがきっかけです。アイアデルはこの負傷を理由に、帰郷を申請し許可を得ました。すると、すぐそのあとの五月二一日、弟のレミュエルも「病気」を理由に帰郷を申請し、許可を得たのです。「病気」が何であったのかについての記載はありません。(12)

「脱走」とは異なり、許可を得た「休暇」として帰郷すれば大手を振って自宅の正面玄関から帰宅することができますし、妻を「脱走者隠匿」の罪で犯罪者にしてしまうこともありません。アイアデルの怪我は銃の暴発によるものだということですから、おそらく正当な理由だったのでしょう。しかし、レミュエルの「病気」については、場合によっては仮病だったかもしれないという疑いを否定できません。問題は、怪我をしたアイアデルが部隊に戻ったのが「九月から一〇月の間」、レミュエルが戻ったのは「一一月一日頃」と記載されている点です。腕の外傷や何なのか明示されていない「病気」から回復するのに四か月から六か月かかるということがあるのでしょうか。[13]

案の定、ある記録によれば、この二人とも「脱走」に当たると判断されたようですが、この「脱走」が初犯であり、しかも自らの意思で部隊に戻ってきたことが評価されて罰を受けることは免れました。この場合も、二人の行動は示し合わせて（おそらくはアイアデルが帰郷する前に二人で相談したことでしょう）行なわれたものと推察されます。

さて、このあとこの兄弟はどんな道を辿ったのでしょうか。兄のアイアデルは、アポマトックスにおけるリー総司令官の降伏のあとも軍と行動を共にし、五月一六日にノースカロライナ州グリーンズボロで武装解除（宣誓釈放）されました。弟のレミュエルは、アポマトックスへ向かう途中、ハッチャーズ・ランで敵につかまって捕虜となり、六月二〇日にニューヨーク港のハート島で釈放されました。[14]

＊　＊　＊

最後に、もう一度今回取り上げた五人の最終的な到達点をまとめておきます。

アンドリュー・ジャーレル

一八六三年三月八日、ヴァージニア州フレデリクスバーグ付近で病死。

ミルトン・ジャーレル

メアリランド州第三連隊部隊D所属の兵士として終戦を迎える。

アイアデル・ロビンズ

一八六五年五月一六日、ノースカロライナ州グリーンズボロで宣誓釈放。

レミュエル・ロビンズ

一八六五年六月二〇日、ニューヨーク港ハート島で宣誓釈放。

ネイサン・リッチ

メアリランド州第三連隊部隊E所属の兵士として終戦を迎える。

似たような環境で育ち、同じように志願して南北戦争に参戦した五人の最終到達点はそれぞれでした。しかし、彼らの行動の背景には自分の置かれた状況の中で主体的に自らの道を選択した力強さを見て取ることができます。

# ●第一次世界大戦下のアメリカ軍兵士と飲酒

兼子　歩

第一次世界大戦が休戦を迎えてから約二か月後の一九一九年一月、アメリカ合衆国憲法修正一八条が成立した。その第一項は、「この修正条項の承認から一年を経た後は、合衆国とその管轄に服するすべての領有地において、飲用の目的で酒類を製造し、販売しもしくは輸送し、またはこれらの地に輸入し、もしくはこれらの地から輸出することは、これを禁止する」[1]と定めていた。同年の一〇月には、この修正一八条を執行するための連邦法である全国禁酒法(通称ヴォルステッド法)が制定された。一九三三年に成立した憲法修正二一条によって無効とされるまで、アメリカでは公式にはほぼ全ての種類の製造・流通・販売が禁止された国となった。

その結果、多数のスピークイージー(もぐり酒場)が都市部に登場したこと、女性が家庭外で飲酒する習慣が定着したこと、そしてアル・カポネに代表される組織犯罪が違法な種類の製造・流通・販売に携わることで利益を得たことなど、いくつもの社会や文化の変容を促す要因のひとつとなったことはよく知られている[2]。密造酒を取り締まる財務省の捜査官エリオット・ネスの活躍を描いた映画『アンタッチャブル』(一九八七年)は、取り締まり側をヒーローとして描いたが、歴史学者のリサ・マッガーは、連邦政府による禁酒法違反の取り締まりが黒人や移民や貧しい労働者階級を狙い撃ちにした刑罰国家化を促したこと、そのことがＫＫＫなどの極右団体による自警団活動の拡大と暴力にお墨付きを与えて活性化させたことを、詳細に論じている[3]。

このような禁酒法に関する歴史叙述の多くは触れることが少ないが、修正一八条と全国禁酒法が成立するより以前、第一次大戦下で連邦政府は特定の飲酒の取り締まりを大規模に推進していた。ドイツに対する宣戦後まもない一九一七年五月に制定された選抜徴兵法の第一二項は、「必要ないし望ましいとみなされる場合に、軍の基地内およびその近隣における、および士官・下士官・兵に対する」アルコール類の販売や提供を禁止する権限を大統領に与え、違反者に対しては一〇〇〇ドル以下の罰金ないし一二か月以下の禁錮刑を定めていた。

第一次大戦期のアメリカ政府と軍当局は、兵士から飲酒の機会を奪うために、兵士への酒の提供者を取り締まる政策を採用した。選抜徴兵法制定から全国禁酒法制定までの二年強の時期は、兵士には禁酒を求めるが、軍と無関係の場面では飲酒や酒の売買・提供を禁止されていないという、いわば禁酒法時代以前の過渡的な状況であった。

## ◆サルーンの世界

一九世紀半ばまでのアメリカの酒場であったタヴァンに対して、一八七〇年代以降に都市部に登場したサルーンは、第一次大戦勃発当時、主に労働者階級の飲酒の場として人気を博していた。タヴァンとサルーンの違いとしては、まず、タヴァンに比してサルーンの内装はより洗練されていた。また、サルーンの内装は標準化されていた——つまりどの都市のどのサルーンを訪れても、似たような雰囲気の内装であった。オーク材やマホガニー材のバーカウンターがあり、足元には立って飲む際に足を置いて休めるための金属のレールがあり、カフェ風に木製のテーブルと椅子のセットが複数並べられ、多くの場合ビリヤード台も設えられているというのが、一般的なサルーンの店内であった。

サルーンがかつてのタヴァンよりも洗練されつつも標準化された内装になった理由のひとつは、サルーンに対する大手ビール醸造会社の力が強いためでもあった。一八八〇年代になるとドイツ系移民が創業したパブストやアンハイザーやブッシュなどの大手ビール製造会社は、サルーンと独占契約を結んでビール販売を支配し、場合によってはサルーンを直接ビール会社が所有するか、あるいはサルーンに対する資金提供などを通じて、サルーンへの支配力を高めていた。ビール会社の豊富な資金力がサルーンの内装の洗練化を促したことは確かである。提供される酒も、タヴァン時代のラムやハードサイダー（りんご果汁で醸造された酒）から、ビールとウィスキーが中心となっていった。

タヴァンが古い時代にコミュニティ・センターの役割を果たしていたのに対し、サルーンは、基本的に労働者階級の男性の世界であった。近隣に暮らす労働者の男たちが常連となり、親交を深めた。職場との近さから客層が特定の職種に偏ることもあれば、移民が集住する地区の場合、同じ国の出身の移民労働者たちが交流するエスニックな社交クラブ化することもあった。だが男性中心であったことは共通していた。

そして、一九世紀の中産階級における〈男らしさ〉が、勤勉さと競争精神と己の欲望に対する自制心を発揮することを通じて経済的に独立した地位を確立することであったのに対して[4]、労働者階級の男性は異なる価値観を醸成しており、サルーンはそうした労働者階級的な価値観を涵養する空間であった。客の男性たちは、互いにおごり合うことで仲間としての連帯意識を高めていた（おごり合いに参加しない客は仲間とはみなされなかった）ため、常連客の関係は一種のクラブ的な雰囲気があった。また、客の男性同士で〈男らしさ〉の競い合いをおこなうことも、サルーンの重要な文化であった。競い合いは飲める酒の量の競争、腕力や体力の強さの自慢、あるいはビリヤード勝負などであった。労働者階級の男性にとっては虚勢を張ることも〈男らしさ〉のうちだったため、こうした競争が対立の引き金となり、喧嘩などの暴力沙汰へと発展することも稀ではなかった。

サルーンにおいて女性客は完全には排除されていなかったが、ごく周縁的な存在であった。女性客専用の入り口が裏側にあることも多く、男性のエスコートがない女性客の入店は歓迎されないことが一般的であった。女性に対する侮辱的な言動は男性客同士のやりとりのなかで頻繁に起こっていた。また、サルーンの壁には女性のヌードの写真や人気のボクシング選手の写真が貼られていることも多く、女性がいるべき場所ではないというメッセージが発せられていた。そのため、店舗内で飲酒せず、グラウラーでビール等を購入して持ち帰る女性客も多かった。(5)

## ◆労働者階級の男たちを規律する

多数のサルーンが都市部に登場すると、中産階級が中心になって飲酒や酒場に反対する禁酒運動も立ち上がっていった。禁酒運動が前提としていた当時の中産階級的なジェンダー観においては、家庭は無欲な存在であると仮定された女性が司る、健全で道徳的な空間とされていた。そのため禁酒運動は、サルーンをその逆の退廃的な男性の空間として批判した(中産階級以上の家庭では、実際にはディナーでの飲酒の習慣があり、その際には女性もまた飲酒することが珍しくなかった。ただし嗜む程度であり、男性の場合も、飲む量の多さを〈男らしさ〉の証とする価値観ではなかった)。一八七三年に結成されて二〇世紀初頭には二〇万人以上の会員数を誇るようになった「婦人キリスト教禁酒同盟(WCTU)」——世界各国で支部が結成され、日本支部は「矯風会」という名で今日も活動している——は、そうしたロジックを展開した中産階級女性による代表的な禁酒運動組織である。労働者階級の貧困や家庭内暴力を社会問題と捉え、その元凶がサルーンにおける男たちの飲酒であると主張したのである。

WCTUや「反酒場同盟(ASL)」のような禁酒運動組織の影響力は、選抜徴兵法における兵士への酒提供の禁止と一九一九年の憲法改正・禁酒法制定を促す原動力であったが、禁酒法が達成された歴史的背景としては他にもいろいろな要因が指摘されている。二〇世紀転換期における大企業、とくに独占企業の登場とその政治的影響力に対する不安が、酒造業者による政治腐敗への警戒というかたちで表出したことは重要である。また、サルーンは政治活動の場でもあり、店主が政党組織のボスであることも稀ではなかったため、サルーンは政治腐敗の象徴にされやすかった。さらにサルーンは、労働運動が組織される場になることもあり、そのため労働者階級への警戒もまた禁酒法制定を後押しした。

一九一七年四月にアメリカ政府がドイツに対して宣戦布告し、第一次世界大戦に参戦すると、愛国主義の高揚と反ドイツ感情が一気に禁酒法への支持を高めた。これは軍隊のために穀物を節約すべきだという主張として、また、ドイツ移民が持ち込んだ飲酒文化や、醸造業者にドイツ系が多かったことへの反感として表れた。酒を軸として、さまざまな感情や思惑、理想や利害が収斂したがゆえに、禁酒政策が推進されたのである。(6)

禁酒法制定に先駆けた一九一七年選抜徴兵法の兵士への酒の提供禁止は、禁酒運動の働きかけの結果であったと同時に、兵士たちの性病罹患を防ぐという政府や軍幹部たちの意図でもあった。二〇世紀転換期以降、積極的に対外的軍事行動を起こすようになった米軍は、兵士の性病、とくに梅毒と淋病への感染の問題を深刻視していた。この頃はまだ抗生物質が利用される以前であり、淋病や梅毒は治療が難しい感染症であった。性病に罹患した兵士は勤務させられないため、性病の蔓延は軍にとって深刻な問題であった。(7)

写真１　ニューヨーク州の訓練基地フォート・スロカムで整列する新兵。第一次世界大戦では400万人以上の男性が兵士として動員された。(Library of Congress より)

第一次世界大戦下の陸軍省は、対ドイツ宣戦から二週間も経たずに、新兵の国内訓練基地における生活を管理するために省内に新機関「訓練キャンプ活動委員会（ＣＴＣＡ）」を設置した。

ＣＴＣＡは、ＹＭＣＡ、ＹＷＣＡ、そして社会衛生学の普及に努める「アメリカ社会衛生協会（ＡＳＨＡ）」などの民間の諸団体と協力体制を築き、国内基地で訓練中の兵士を性病から「保護」する施策を推進した。ＣＴＣＡが推進した兵士の管理政策は、「アメリカン・プラン」と呼ばれた(8)。

ＣＴＣＡは、軍事施設やその周辺での性売買を禁じた選抜徴兵法第一三項の規定に基づき、ＣＴＣＡは憲兵や各地の警察機構・司法と協力して、多数の性売買施設を摘発させると同時にセックスワーカーたちを多数検挙させた。さらに、直接の金銭のやりとりを目的としないが兵士と性的な関係をもつ、もとうとする、あるいはもとうとしているとみなされた若い女性もまた、第一三項に掲げられた「不道徳」な行為をする者と疑われて逮捕・補導され、矯正院に送られ、性病が疑われる場合には検査を強制して陽性だと判断された場合には「治療」施設に長期間拘禁された(9)。他方で、兵士たちを性行為から遠ざけるために、まず民間団体の協力によって「健全」だと考えられる娯楽の提供を推進した。ＹＭＣＡやＹＷＣＡが協力して、図書室を設け、身体を鍛錬するジムを設置し、各種のスポーツイベントや、ダンスパーティ――ダンスの種類を限定し、兵士のパートナーとなる女性を選別することによって「健全さ」が担保されていた――を催した。こうしてＣＴＣＡは、「健全」な環境を整備することで、兵士の性欲の自己管理を促した。

そして、兵士に対する酒の提供の禁止も、この「健全」な環境づくりの一環であった。ＣＴＣＡに関する研究によれば、これらの政策は、労働者階級出身の兵士たちに対して

写真２　YMCA の絵葉書。兵士たちが休憩時間に野球をしている。YMCA は各種のスポーツ活動を組織し、兵士たちに酒や買春ではなく「健全」な娯楽で余暇を過ごさせようと試みた（Smithsonian Institution）。

一九世紀中産階級的な自制の美徳に立脚した〈男らしさ〉の規範を注入する規律化政策であり、これを通じて中産階級的な道徳を社会全体の道徳として普及させ、国民の一体性を確立しようとする試みであった[10]。

では、性病予防を念頭に置いたこの禁酒政策のもとで、兵士たちは、実際にはどのように行動し、この禁酒政策をどう考えていたのだろうか。当時の兵士たちの素の言動を記録した史料から、考えてみたい。

## ◆禁止されても酒を飲む、手にいれる

ＣＴＣＡに協力する民間団体のひとつに、ニューヨーク市に拠点を置く「十四人委員会」という非営利組織があった。一九〇五年に結成されたこの団体は、同市とその近郊における性売買を調査し、その摘発を支援することを目的としていた。その特徴は、性売買を疑われる施設等を調査するために一般客に扮した覆面調査員を派遣するという手法にあった[11]。第一次大戦期に十四人委員会はＣＴＣＡやニューヨーク州の各基地の憲兵司令官たちと綿密に連携しつつ、性売買と飲酒の取り締まりを支援

するために、ニューヨーク市や近隣の米軍基地、その周辺の地方都市に覆面調査員を派遣した。調査員による現場での観察の報告書は、委員会と調査員の偏見の目を通してではあるが、酒場やダンスホールやホテルなどの状況を生々しく伝える貴重な史料である。

そうした史料から浮かび上がるのは、酒を我慢して自制に励むという、改革者や政府が期待したようなふるまいからは程遠い男たちの姿であった。

まず、選抜徴兵法第一二項を無視して兵士たちに酒を提供するサルーンやホテルは稀ではなかった。たとえば、ニューヨーク州の地方都市ユティカでは、制服を着たままの兵士たちがラーツケラー（ドイツ風の地下ビアホール）で「ウェイターによって堂々と酒を提供されていました」。調査員によれば、ウェイターも客の兵士たちも「自分たちを誰かが見ているかもしれないという不安をわずかでも感じているようにはみえませんでした」[12]。また、より密かに兵士に酒を売るというパターンもあった。ニューヨーク州北部のピークスキル市にある公園では、兵士たちが公園内のバーを利用していた。調査員によれば、公園内のバーで兵士がジンジャーエールを注文すると、ウェイターは瓶にたっぷりのウィスキーと少量のジンジャーエールを入れて兵士に渡していたという[13]。

多くのサルーンやホテルのバーでは、建前上、制服を着た兵士には酒を供しないというルールを守っていたが、間接的に兵士が酒を飲む方法はさまざまなものがあった。たとえばニューヨーク市マンハッタンのあるレストランでは、「三人の兵士が、売春婦と見られる女性三人と一緒にいるのを見ました。女性たちに酒が供され、ウェイターが見ていない隙に、女性たちはその酒を兵士たちに渡していました」[14]。店の従業員の目を盗んでグラス交換が行われることもあれば、従業員が客のあいだでグラスを交換することを知っていて黙認している店もあった。バッファローのあるホテルのバーに調査員が兵士数名と一緒に入ると、「ウェイターは、兵士にはソフトドリンク以外のものを提供することを拒否しましたが、私たちには酒を提供しました。私たちがグラスを交換するのを見ていましたが、何も言いませんでした。ウェイトレスも、私の友人たちがグラスを交換するのを見て、笑い始めました」[15]。ウェイターもウェイトレスも、気づいても兵士の飲酒を咎《とが》めるつもりはなかったのである。

だが、ルールを厳格に守り、兵士にもその連れにも酒を出してくれない、あるいは兵士の入店お断りのサルーンやホテルも多かった。その場合、第三者を介して酒を購入する行為が街中のあちこちで見られた。基地から離れた場所での酒類提供と、それを民間人が購入することは合法であったためである。ニューヨーク市内でのある調査員の観察によると、ある兵士たちが民間人を誘ってカフェに行き、その民間人がカフェ内で酒を購入して持ち出し、「一緒にマンハッタン通りを西へと歩いていき、［建物の］暗い廊下に入り、そこで酒を消費しているのを目にしました」[16]。

民間人から兵士に声をかけて、酒の購入の代行を申し出る場合も多々見られた。マンハッタンで調査員が目撃したところによると、「片腕の浮浪者が兵士に近づいていくのを目にしました。彼は最終的に三人の制服の兵士たちと一緒に東一五丁目と三番街のところまで歩いていき、そこで彼は兵士たちと離れて［サルーンに］入り、半パイント［約二四〇ミリリットル］のウィスキーを購入し、それを［店の］戸口のところで兵士たちに渡しました」[17]。この「浮浪者」は、酒の購入代行を生計の足しにしていたと思われる。

## ◆飲んだら暴れる

こうして酒類提供の禁止令をかいくぐってまで酒を飲む兵士たちは、しばしばトラブルを起こした。泥酔する兵士は報告書に頻出する。たとえばマンハッタンのペンシルヴェニア駅では、悪酔いした兵士が「本当に具合が悪くなっており、彼は胃の中のものを全て吐いてしまったに違いありませんでした」。また、「お手洗いには、多数の空のウィスキー瓶とビール瓶があった」[18]。泥酔が原因の事故も起こっていた。ある調査員は列車の中で出会った民間人から、シラキューズ市の「川で二人の兵士が死んでいるのを発見されたが、彼らが殺されて川に投げ込まれたのか、酔っ払って川に落ちたのかわからない」という話を聞いている[19]。

泥酔して暴れる兵士の例も報告されている。ある調査員はシラキューズで「酔っ払った兵士が東ワシントン通りにあるジャック・ライアンのサルーンに入ろうと試みて追い出され、ドアを殴って騒動を起こし、最終的に憲兵の一人に逮捕されるところを見ました」[20]。さらに、酔った兵士たちによる暴動の事例も見られた。ユティカ市では一九一七年八月にサルーンで酩酊した兵士一七名が「六〇個の電球やランプシェード、電気のスイッチボタンを破壊し〔中略〕木製のドアもこじ開け、メアリ通りに面した外扉につながる鉄格子のついたドアの錠前も削った」ために留置所に収監されたのだという[21]。

## ◆禁酒令下で酒を飲む理由

兵士たちが法律で禁じられ、憲兵に逮捕される危険性のある飲酒にこだわった理由はいろいろ考えられる。純粋に嗜好品としての酒を好んでいたり、新兵をしごく基地での訓練の過酷さから生じるストレスを発散する目的もあっただろう。兵士によっては、アルコール依存症ないしそれに近い状態にあった者もいた可能性がある。

だが、そのほかに考えられる要因がある。それは、兵士たちの出自に由来する、彼らが徴兵に応じて軍隊に持ち込むことになった彼らの価値観や文化である。徴兵された兵士たちが平時にいかなる職業に就いていたのかというデータはある程度存在している。全体の五分の一近くは「農民」であり、ほかには「馬乗り」や事務職、肉体労働者、職工、運転手、工場労働者などが多かった。また、重工業の熟練労働者は軍需産業の維持のために不可欠な労働力として徴兵を免除・延期されることが多く、被扶養家族がいる者も延期措置を得やすかったので、徴兵されたのは比較的不熟練で若く独身の男性が中心になった。つまり、労働者階級的な出自の兵士が圧倒的に多かったのである。[22]

先述のようにサルーンは、CTCAが目指したような中産階級的な禁欲・自制とは異なる飲酒文化を涵養していた。兵士たちの飲酒は、戦前に培われてきた労働者のサルーン文化に根ざしていた。徴兵に応じた男たちの多くは、兵役そのものには同意していたとしても、刑罰国家の先駆けとなる形をとった禁酒令に逆らって兵士たちが飲酒を追求したことは、刑罰をもって中産階級の理想像としての〈男らしさ〉を押しつける刑罰国家に対して彼らが労働者階級的な男性の飲酒文化に根ざしたふるまいによって抵抗し、撹乱し、刑罰国家の正当性を相対化しようとしたことを意味する。サルーンの店主・従業員やその他の民間人の協力は、金銭目当てであっただろうが、同時に同じ労働者階級世界の文化を共有して国家の介入に対する撹乱行為に共鳴していた可能性は高い。

もっとも、飲酒による兵士の泥酔は事故死の危険さえあり、他者に対する破壊行為にも発展しうるものもあった。そしてサルーンに根ざした飲酒文化は、本質的に女性を排除し侮辱する文化でもあった。現代では「有害な男性性《トクシック・マスキュリニティ》」と呼ばれる男のあり方であったという点も、無視してはならないだろう。

# ●親と子の距離感
## ――中国古代の孝のあり方

多田麻希子

親が子を想い、子が親を想う気持ちはいつの時代であっても変わらない。またそれと同じぐらいに、いつの時代の親も子も互いのことで思い悩んでいることも変わらない。だが果たしてそうなのだろうか。それを中国の古代社会を例に振り返ってみることにしたい。

## ◆二〇〇〇年前の遺書に登場する放蕩息子
### ――江蘇儀徴胥浦《こうそぎちょうしょほ》一〇一号前漢墓出土「先令券書《せんれいけんしょ》」

今まさに、一人の女性の命が尽きようとしている。その女性は遺言を作成するために証人となる役人、親族を枕元に呼び寄せ、ポツリポツリと話し始める。そうして残されたのが左記の「先令券書（遺言書）」である。[1]

> 夫の朱凌《しゅりょう》は自ら「[妻の嫗《おう》は]」これまでに三人の夫と婚姻し、父親を異にする子ども男女六人をもうけました。相続に当たって、それら子たちのために各々の父親を確定しようと考えます。女子の以君《いくん》・男子の真《しん》・男子の方《ほう》・女子の僊君《せんくん》の父親はわたくし朱凌です。また男子の公文《こうぶん》の父は呉の衰近君《すいきんくん》です。さらに女子の弱君《じゃくくん》の父は曲阿《きょくあ》の病長賓《へいちょうひん》です」と証言いたしました。
>
> そのうえで妻である嫗は「衰近君の子である公文は一五歳で家を出て、自ら姓を別にして遠くに居住し、これまで一銭も家に入れたことがない子です。わたくし嫗は[この遺言書によって]男子の真と方とに財産を相続させ、それぞれ自活させます。

ただ女子の僊君と弱君はともに貧しく自活できない状況でおりましたため、すでに本年〔元始五年〕四月一〇日に、私は衣食を賄う桑畑と稲畑を弱君に、水田を僊君に貸し与えました。しかし本年一二月に、公文が傷害事件を起こし刑徒となり、生業に就けない貧しい状況となってしまいました。そこで一二月一一日に、僊君と弱君それぞれに貸し与えていた田を私が取り戻し、それを公文に貸し与えることといたしました。私が公文に貸し与えるに当たっては、二人の田地を区画していた境界を取り除き、もとの一つの区画とし、公文にはその田地を他人に売り払ったりしないことを条件にいたします」と証言します。

これは、一九八四年に中国江蘇省儀徴市（当時は県）胥浦の前漢夫婦合葬墓（一〇一号墓）から発見された一七枚の竹簡に記された「先令券書」の一部である。冒頭に「元始五年（紀元五年）九月」と記されていることから、時期は今から二〇〇〇年ほど前の前漢末期の平帝の時代にあたる。

嫗は三回結婚し、父親の異なる子ども男女六人（男三人・女三人）をもうけた。「女子の以君・男子の真・男子の方・女子の僊君の父親は朱凌」とあることから、朱凌が三番目の夫で、公文の父親である衰近君、弱君の父親である病長賓は前夫である。

息子の一人である公文は父親の衰近君の没後、母親の嫗が再婚したためか家を出た。彼はおそらく放蕩息子で、今まで嫗に対して孝行らしい事は何一つしてこなかったようだ。彼その彼は、詳細は不明であるが傷害事件を起こし労働刑に服する身の上となってしまった。

興味深いのは、嫗の対応である。この事件を受け、二人の娘に貸し与えた桑畑・稲畑・水田を「かつて一銭も家に入れたことがない子」で当初相続人から外されていた公文に与えるというのである。古代にあっても親からすれば「不出来の子ほど」可愛いようだ。

## ◆簡牘資料は「天の恵」といえるのか？

近年、中国全土から大量の竹簡（写真1）、木牘（写真2）（これらを総称して簡牘《かんとく》という）が発見されている。先の「先令券書」もその一つである。紙が後漢時代以降徐々に実用化されるまで、書写材は簡牘が一般的であった。前漢時代に編纂された歴史書

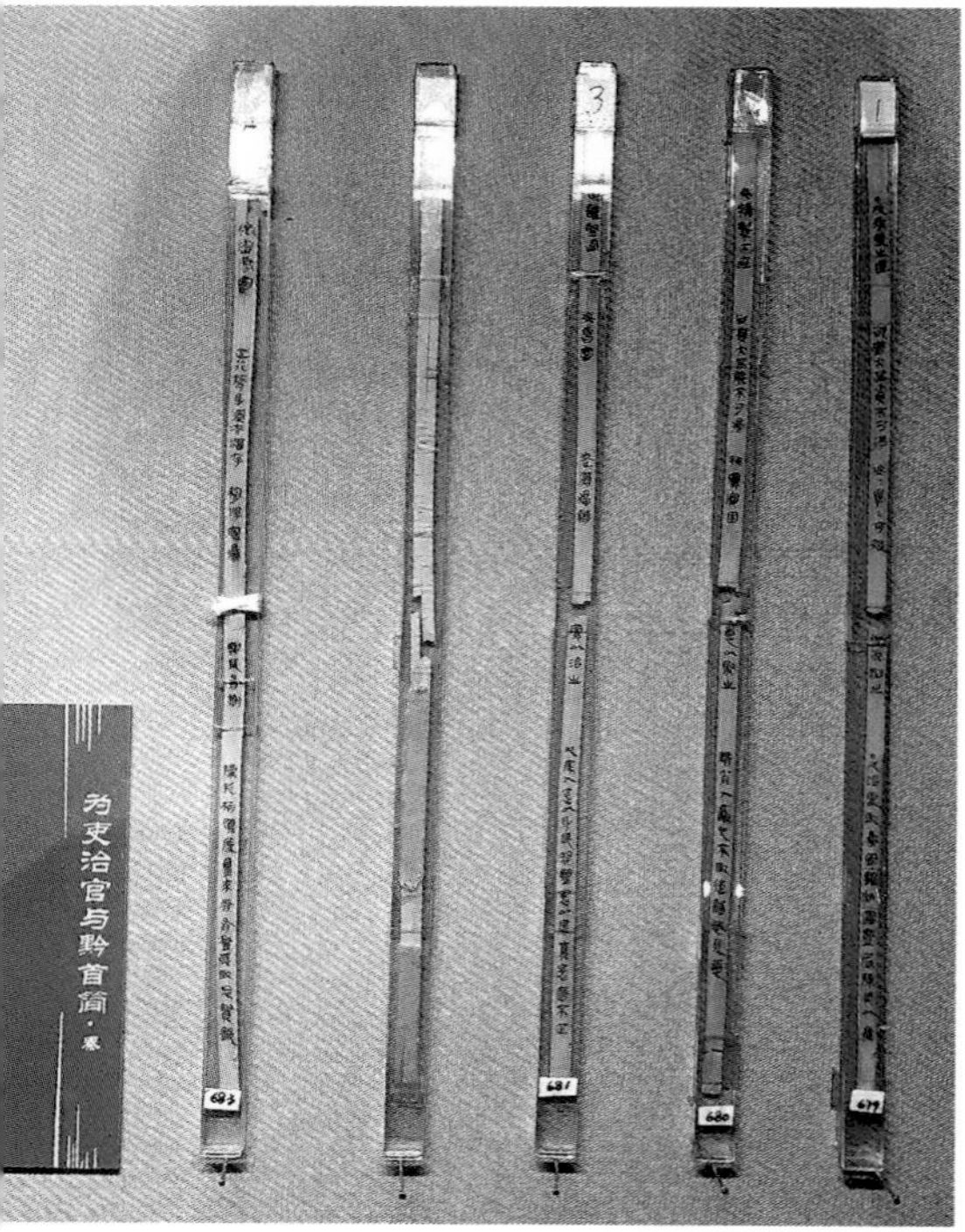


写真１（上）「簡」（かん）
写真２（左ページ上）「牘」（とく）
１行書きを「簡」（写真１）、数行書きのものを「牘」（写真２）という。写真１は山東省博物館にて（2018年３月７日）、写真２は荊州博物館にて（2012年12月25日）。ともに著者撮影。現在までに、主に中国西北部（敦煌、居延）や長江流域（長沙、江陵）などから大量の簡牘が発見されている。

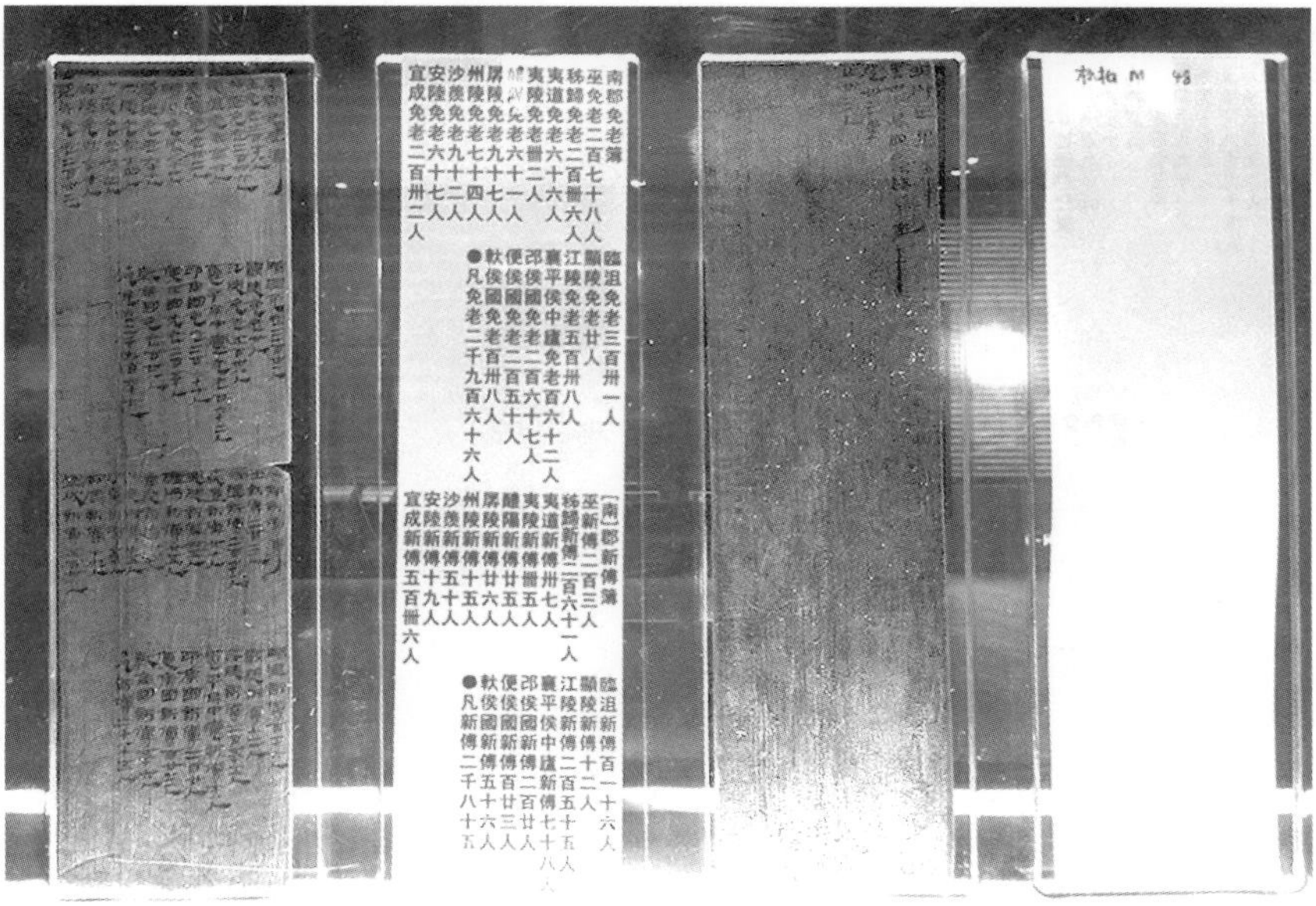
南郡免老簿
巫免老二百七十八人
秭歸免老二百卌六人
夷道免老六十六人
夷陵免老卌二人
孱陵免老九十七人
州陵免老七十四人
沙羨免老九十二人
安陸免老六十七人
宜成免老二百卌二人
臨沮免老三百卌一人
顯陵免老廿人
江陵免老五百卌八人
襄平侯中廬免老百六十二人
邔侯國免老二百六十七人
便侯國免老二百五十人
軑侯國免老百卌八人
●凡免老二千九百六十六人
[南]郡新傅簿
巫新傅二百三人
秭歸新傅二百六十一人
夷道新傅卌七人
夷陵新傅卌五人
醴陽新傅廿五人
孱陵新傅廿六人
州陵新傅十五人
沙羨新傅五十人
安陸新傅十九人
宜成新傅五百卌六人
臨沮新傅百一十六人
顯陵新傅十二人
江陵新傅二百五十五人
襄平侯中廬新傅七十八人
邔侯國新傅二百廿人
便侯國新傅百廿三人
軑侯國新傅五十六人
●凡新傅二千八十五人

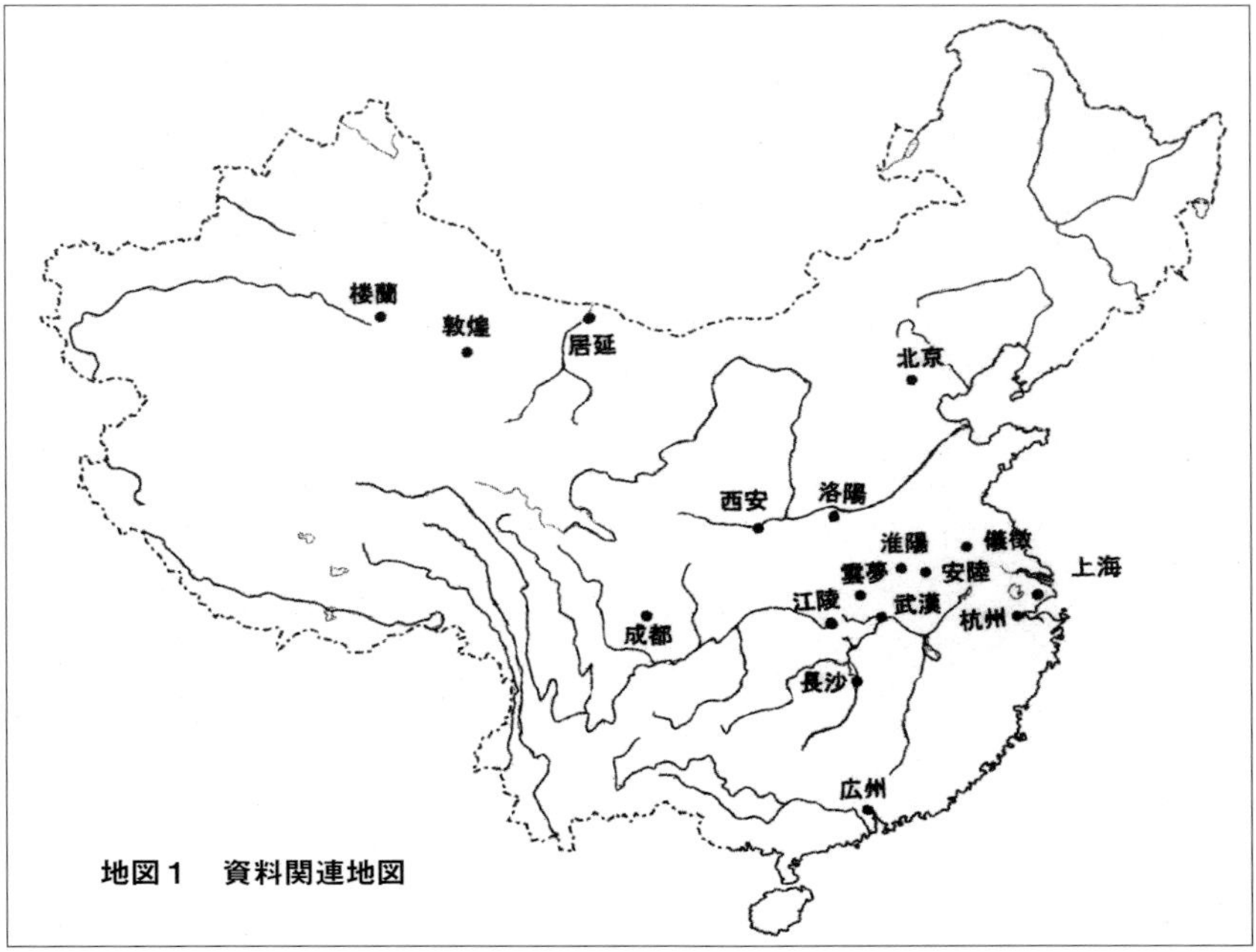
楼蘭
敦煌
居延
北京
西安
洛陽
淮陽
儀徴
雲夢
安陸
上海
江陵
武漢
杭州
成都
長沙
広州

地図1　資料関連地図

『史記』も竹簡に記されていた。簡牘はその材料となる木や竹はどこでも手に入り、加工は他の書写材である金石などに比べればはるかに容易で、しかも修正箇所をナイフで削れば何度でも使用可能という利便性も備えていた。

多数の簡牘資料が新たに見つかったので、さぞや秦漢史研究は進んだと思われるであろう。しかし実際はそう簡単にはいかない。まず贋作が存在する。「出土地不明」の簡牘がある日突然世に現れる。「出土地不明」というものには、簡牘自体は本物であるが盗掘のため出土地が分からないという場合がある。その一方で出土した、あるいは盗掘された簡牘のなかには文字無しの竹・木があり、それらの上に当時の文字を模倣して新たに書き入れる場合もある（これが贋作となる）。後者の竹・木そのものは戦国、秦漢時代のものであるから放射性炭素年代測定による判定もパスしてしまう。真偽の判断は容易ではない。

このほかにも簡牘資料を扱うことの困難が存在する。竹・木簡に長文を記す際には、簡と簡とを紐で結んで冊書（巻物）を作成するが、時間の経過とともにその紐が腐り堕ち各簡はバラバラとなって出土する。その場合は個々の簡の記述内容から想像して、もとの冊書を復元するしかない。この各簡の配列は非常に困難でかつ時間がかかる作業となり、できたとしてもその並びが正しいとは限らない。そのうえ簡牘の上下左右が破損していて完文として把握できない、文字が消えていて読めない、そもそも文字が解読できない、文法通りでない、書き手に誤字・脱字があるなど問題はしょっちゅう出てくる。

とはいえ最大の問題は書き手がどのような意図をもってこれらの文章を記していたの

かが分からない点だ。今のところ簡牘が出土する場所は、帳簿類の場合は当時の官府（役所）にあって水が枯れ、使用できなくなった井戸の中やごみ収集所（つまりはゴミクズ）から、法律文書を含む書籍などの場合は墓などの副葬品として発見されることが多い。困った事に、このような出土状況では役人が落書きや手習いで書いて捨てたものなのか、不要となった帳簿や公文書を捨てたものなのか、現代の我々では判断できない。しかし、こうした困難があったとしても、『論語』等の儒教の経典や『史記』『漢書』といった文献史料ではほとんど解明することができない社会内部に関する情報は、簡牘資料によってはじめて得られることも事実である。そのため、簡牘資料の発見は、吉と出るか凶と出るかは分からないが、秦漢史研究者にとっては大きな「恵」となることは間違いない。

## ◆簡牘資料からみえる秦漢時代の家族の様子

（秦始皇二四年）二月辛巳、黒夫《こくふ》と驚《きょう》が再拝して弟の中《ちゅう》［衷］とお母さんに申し上げます。恙無くお過ごしですか？ 黒夫と驚は無事に暮らしています。少し前に僕と驚とは別々になってしまいましたが、今はまた一緒にいます。僕は以前、乞就《きつしゅう》という人に「お金を送ってください。僕は夏服を持って来ていません」と書いた手紙を託しました。もしこの手紙が届いているなら、お母さん、そちら安陸《あんりく》の方が糸や布を安く買えると思うので、夏用の衣服や肌着を必ずや作って、お金と一緒に送ってください。もし糸や布が高いようならお金だけでも送ってください。僕がこちらで買うことにします。僕らは淮陽《わいよう》の地で戦っています。幸運な事に今のところ負傷していません。お母さん、どうか僕にお金を送ってください。手紙が着いたら、お返事をください。(2)

一見「オレオレ詐欺」のマニュアルのようにもみえるが、これは一九七五・七六年に、中国湖北省雲夢県睡虎地《うんぼうけんすいこち》四号秦墓から出土した二枚の木牘《もくとく》に記された手紙の一部である。戦地にいる黒夫と驚の兄弟が母親に宛てて自分達が無事であることを知らせつつ、金銭の援助を依頼している。手紙が出された時代は、内容からすると、秦の始皇帝の全国統一が完成する三年前の秦始皇二四年（前二二三年）のことで、この年は秦が大国・楚を滅ぼした時期に当たり、黒夫と驚の二人も秦軍の兵士としてこうした戦闘に参加していた。この木牘が出土した四号秦墓の被埋葬者は冒頭に登場する弟の中（衷）で、この手紙が届いてから間もなくこの弟は亡くなったようである。しかし、戦地にいるとはいえ、これほどあけっぴろげに金銭を求められると清々しさすら感じてしまう。

以上、出土資料を二つ紹介した。これ以外にも、当時の判例集とされる簡牘資料には、金儲けのために親族をだまして訴えられた芮《ぜい》と、少しでも息子の罪が軽くなるようにと金銭を差し出す母・索《さく》の例（嶽麓《がくろく》書院蔵秦簡『奏讞書《そうげんじょ》（参）』案例〇四）、愛息の葬儀の夜に、義理の娘である嫁が浮気している現場を目撃して訴え出る姑・素《そ》の例（張家山漢簡『奏讞書』案例二一）など、実に多彩な親と子の関係がみえる。

## ◆親が子を拒絶するとき――「不孝」というシステム

いつの時代にも子が親を頼り、迷惑をかけることはよくあることだ。しかし、当然ながら常に親が子を庇う訳ではないし、親が子を拒絶することもあり得る。

> 子が父母を故意に殺そうとして未遂で逮捕された場合、あるいは祖父母・父母・継祖母・義理の母〔父の正妻〕・継母を殴詈《おうり》した場合、さらには父母が子を不孝として告発した場合は、皆な棄市〔死刑〕とする。その子が〔既に〕罪を犯していて、城旦春《じょうたんしょう》・鬼薪白粲《きしんはくさん》以上の服役囚となっている場合、あるいは人の奴隷となっている場合は、父母が子の不孝を告発してきても、受理してはならない。年齢七〇歳以上のものが子の不孝を告発してきた場合は、必ずその告発を三度行なわせよ。三度の告発がそれぞれ異なる日であって、それでもなお告発する場合は、これを受理せよ。人に不孝を唆す者は、黥《げい》城旦春とする。(3)

これは、呂后二年（前一八六年）に編纂された前漢の法律条文集にある一条で（秦にも同様な条文が存在していた）、子が親に対する殺人未遂、殴詈（殴る・暴言を吐く）、そして「不孝」をはたらいた場合は問答無用で棄市（死刑）とする規定である。ここに「不孝」をはたらいた場合の規定がある。これは、たとえ子が「不孝」であったとしても親が勝手に子を殺す（私刑）ことを禁止し、その一方で、親が子を「不孝」として訴え、それを受理した国家が調査し、「不孝」が認定されれば子は父の要求通り処刑される規定である。ただし、子のどのような行為が「不孝」にあたるのかという明確な基準があったわけではなく、親がそう感じただけで告発できたのである。

遷子爰書《せんしえんしょ》　某里の士伍《しご》身分の甲が「甲の実子である同里の士伍の丙の両足を切断し、蜀郡の辺境の県へと流刑し、彼を終生その流刑地から離れさせないようにすることを、謹んで請うしだいです」と告発した。癈丘《はいきゅう》県主〔長官〕への報告には、「士伍で咸陽の某里に住む丙というものは、その父である甲の要求通り、丙の足を切断して蜀郡の辺境の県に流刑とし、終生流刑地から離れることができない罪を犯しました。よって甲の告発通り丙を流刑に処すとの判決を下しました。この判決は該当する律を適用したものです。そこで丙の足を切断し、官吏と徒《と》〔下僕〕に傳《でん》〔通行許可書〕と恒書《こうしょ》〔罪人を護送することを報告する書〕一通を携帯させ、さらに連行する官吏と徒の交替も申請し、いくつかの県を経由して丙を成都に護送することといたします。成都に到着次第、恒書を蜀郡の太守〔長官〕にお届けいたします。なお官吏と徒には道中の食料を律の規定通り支給することといたします。また官吏と徒が癈丘に帰還した時には、報告いたします。以上、担当者が謹んでご報告いたします。[4]

これは黒夫・驚兄弟の弟とされる中（衷）の墓と同じ地域で発掘された睡虎地一一号秦墓から出土した爰書という書式の竹簡である。爰書は行政文書を書くための見本である。何故見本と見做されているのかというと、冒頭に「何年何月○○（役職）の某が謹んで申し上げます」といった当時の役人が使う定型文が記載されていないことや、人名や一部の地名も「甲」や「丙」、「某里」等といった具体的な名を記していないためである。この墓の被埋葬者である喜《き》は司法に関わる役人で、当時の法律条文を記した竹簡を副葬していた（爰書もその一つ）。同時に出土した喜自身の経歴を簡単に記した年表（編年記）によると、喜は秦昭襄王四五年（前二六二年）に生まれ、秦始皇三〇年（前二一七年）頃に死亡したと考えられる。この見本もほぼその時期の役人たちが利用していたものだろう。

さて、父親である甲は、息子である丙に対して両足を切断し、蜀郡（現在の四川省）への流刑とし、丙が生涯そこから離れられないようにして欲しいと訴え出ている。当時の秦では流刑者は概ね蜀郡に送られ、そこで坑夫等の厳しい労働に従事させられていたようだ。それゆえ爰書といえども、具体的な地名が記されている。役人は、父親・甲の訴えを受けて甲と丙が住む里（村）の住民に話を訊くなどの調査を行ない、その結果「終生流刑地から離れることができない罪を犯し」たとして、丙の罪を断定している。ここには「不孝」という語はみえないが、父親が丙に対する量刑を具体的に要求している点からも、丙が犯した行為は通常の罪状ではなく、甲に対する「不孝」として訴えられたと想定される。

この「遷子爰書」に続いて「告子爰書《こくしえんしょ》」もある。

告子爰書　某里の士伍の甲が、「甲の息子で同里に居住する士伍の丙は不孝であるので、殺害することを求めます。謹んで請うしだいです」と告発しました。すぐさま下級官吏である令史《れいし》の己《き》を事実確認に向かわせました。令史の己の爰書には「牢隷臣《ろうれいしん》〔牢獄で働く男奴隷〕の某とともに丙を捕えるために出向き、某の家で捕えました」という報告がありました。県丞〔副官〕の某が丙を尋問したところ、「丙は甲の実子であり、丙が不孝をはたらいたのは事実である。その他の罪は犯していない」との供述がありました。(5)

この刑罰関連文書のひな型には「不孝」という罪状が明記され、「不孝」をはたらいた丙に対して実父である甲は死刑を要求している。

この時代の犯罪行為のなかで国家が「不孝」に特別な意味をもたせていたことは、計二六の爰書を収めて成った「封診式」における刑罰案件を一瞥すれば明らかとなる。すなわち、二五の案件のうち、同一罪状に対して二つの爰書が存在するのは「不孝」に関するもののみであったからだ。

## ◆『史記』などの文献史料にあふれる孝行者

どうやら、中国古代の親と子の関係は現在の我々とは異なり、この時代特有の「緊張感」が漂う関係であったようだ。当時親が子の生殺与奪の権を握っていたということは『史記』や『漢書』にも記されている。当時の知識人達が読んでいた『孝経』(6)には、今でも有名な「身体発膚、これを父母より受く。敢えて毀傷《きしょう》せざるは孝の始め也」という一文があり、春秋・戦国時代からの儒教の教え（主に儀式の手順や作法）をまとめた『礼記』[7]には、

およそ人の子たる者の礼として、父母に対し、冬は温かく、夏は涼しく過ごせるように配慮し、毎晩寝具の世話をして、毎朝機嫌を伺う。そして兄弟・友と争って父母に心配かけるようなことはしてはならない。（『礼記』曲礼 上）

父母から飲食をもらえば、好きでなくても口にして次の指示を待つ。父母から衣服をもらえば、好きでなくても身につけて次の指示を待つ。

父母に過失があれば、子はできる限り気を静めて顔色を和らげ、声を穏やかにして諫める。諫めても聴いてくれないようなら更に一層丁寧に接して、機嫌が直ったらまた諫める。たとえ父母の機嫌を損ねても、父母が罪を犯して世間より非難されるよりはずっとましである。父母が怒り、杖で打ち、鞭で叩かれて流血したとしても、耐えて憎まず、恨まず、一層丁寧に接する。

子はその妻を大いに愛したとしても、もし父母が気に入らなければ、離婚する。子はその妻が気に入らなくても父母がこの嫁は良く我々に仕えてくれると言えば、子は夫婦の道を守って生涯その妻を大切にする。（『同』内則）

とある。当然のことながら、これらはあくまで儒学者が考える「理想型」で、当時で

あっても子がここまで父母に尽くすことは難しかったようだ。しかし、前者の曲礼冒頭に「人の子たる者の礼として」とまで言われてしまうと、「親孝行」が「絶対」ではない現代の我々にとっては衝撃だ。ましてや、後者の内則に至っては、子は父母の身体的な世話・扶養は勿論、自分の意志より親の意志（服装の好み、食事の好み、結婚相手まで）の方が優先され、子が親に逆らった場合、親からの暴力を伴う「躾」（杖で打ち、鞭で叩く）も子は容認している（犯罪行為にあたらない）。堪ったものではない。しかも、子がどんなに尽くしたとしても親が「不孝者」と見做せば一巻の終わりである。そのためか、文献史料には「孝行者」の話が多く記載されている。『史記』万石列伝に、[8]

〔万石の長男である〕健は郎中令《ろうちゅうれい》〔宮殿の門を管轄する上級官僚〕の職にありながら、五日ごとの休暇の度に家に帰って父・万石のご機嫌を伺い、その後に自分の部屋に入ると、こっそり従者に父の肌着や下着を持って来させ、自らの手で洗濯し、またそれを従者に渡して、万石に自分が洗ったことを覚らせないようにするのが常であった。

凄まじい親への気遣いだ。しかし、上には上がいるもので、もはや恐怖すら感じるのは次の郭巨《かくきょ》の話だ。[9]

郭巨夫婦は奉公人として雇われ、一緒に小作人の部屋に住み郭巨の母を養っていた。ある時、郭巨夫婦に一人の息子が誕生した。そこで郭巨が思い悩んだのは、子を養育すれば親孝行の妨げになる。これが一つ目の心配事である。また、老人は孫可愛さに喜んで食べ物を分け与えてしまうので、そうなると母親の食べる分が減ってしまう。これが二つ目の心配事である。そこで郭巨は原っぱに穴を掘り、そこへ息子を埋めてしまおうと考えた。その時、石の蓋を掘り当て、その蓋の下から黄金がいっぱい入った釜が出てきて、なかに「孝子たる郭巨よ、黄金一釜を汝に与えん」と朱書きされていた。こうして、郭巨の評判は天下に轟いた。

この『捜神記』という書籍は、東晋時代の干宝《かんぽう》がまとめた怪談・奇譚集である。郭巨が実在した人物かどうかは定かではないが、郭巨は後漢時代に「二十四孝の一人」と称される。上記の話は少し内容を異にして他の書籍にも散見されるほど有名なものである。親を養うためならば、既に自分も親になっているにも関わらず、我が子を犠牲にすることも厭わない。しかし、その姿勢が評価される親と子の関係、社会・時代を、我々はどのように考えればよいのだろうか。

## ◆古代の人びとの持つ「ものさし」を探して

「昔の人はどうして巨大な墓ばかりを造るのだろうか」、「昔の人はどうしてあんなに手間をかけて儀礼を行なうのだろうか」、このような素朴な疑問を持つ人は少なからずいるはずである。このような疑問への答えを得るために、昔の人（私の場合は秦漢時代の人びと）が如何なるふるまいや言葉・物を「価値あるもの」として、もしくは「価値無きもの」「非難されるべきもの」として見做していたのかを理解する方法はないものかと、私は思案してきた。「孝」の考え方をみても、昔の人びとは彼らなりの「ものさし」を持ち合わせている。どうやらそれは現在の我々が好む「効率」や「合理化」といった目盛とは異なっているようだ。

今でも二〇〇〇年前と同じ「親」と「子」という漢字を使っているにも関わらず、当時の親と子との関係の実態にはなかなか近づけない。歴史家E・H・カーの名著『歴史とは何か』[10]に、「〔歴史は〕現在と過去のあいだの終わりのない対話なのです」という有名な一文がある。私は、これまで「研究対象である中国古代の人びととの対話が成立したことがあるのだろうか」と常々自問している。生きている間に何とか彼らの持つ「ものさし」の目盛一つでも発見できればと思い悩む日々である。

# ●生きる縁《よすが》としての歴史——ノーザン・シャイアンの「帰還」

川浦佐知子

## ◆時系列に則らない歴史の語り

*We, the Northern Cheyenne People: Our Land, Our History, Our Culture.* 日本語訳は『我ら、ノーザン・シャイアン——私たちの土地、歴史、文化』となるでしょうか。[1] 二〇〇八年に出版されたこの書籍は、アメリカ合衆国（以下、合衆国）モンタナ州に保留地を有するノーザン・シャイアンによって制作されました。[2]

この本の特徴は、時系列に則らない編纂スタイルにあります。制作・編集を指揮したチーフ・ドゥルナイフ・カレッジ元学長リチャード・リトルベアは、クロノロジーを踏襲することを意識的に避け、遠い過去を詳細に扱うよりも、現在の部族の姿を描くことに焦点を絞ったと語っています。モンタナ州は「すべての人びとのためのインディアン教育」を州法で謳っており、出版は州内七つの保留地に居住する一二の先住民部族の歴史と文化の保護を目的とした基金を受けて企画されました。当初、時系列に沿った部族史としない編集方針に対し、州は基金拠出に難色を示したそうです。[3]

部族大学[4]では長く、トム・ウエストによる『シャイアンの歴史』[5]が、部族史の教科書として用いられてきました。この本はシャイアンの祖先がハドソン湾周辺から五大湖周辺へと移動した一七世紀半ばから、一九七〇年代までの出来事を包括的に記しています。「古代」、「犬の時代」、「バッファローの時代」、「馬の時代」といった部族の伝統的な時代区分を尊重した上で、どのような出来事を経て、今日「シャイアン」として知られる集団が形成されたのかを、ウエストの書は時系列に沿って説明しています。

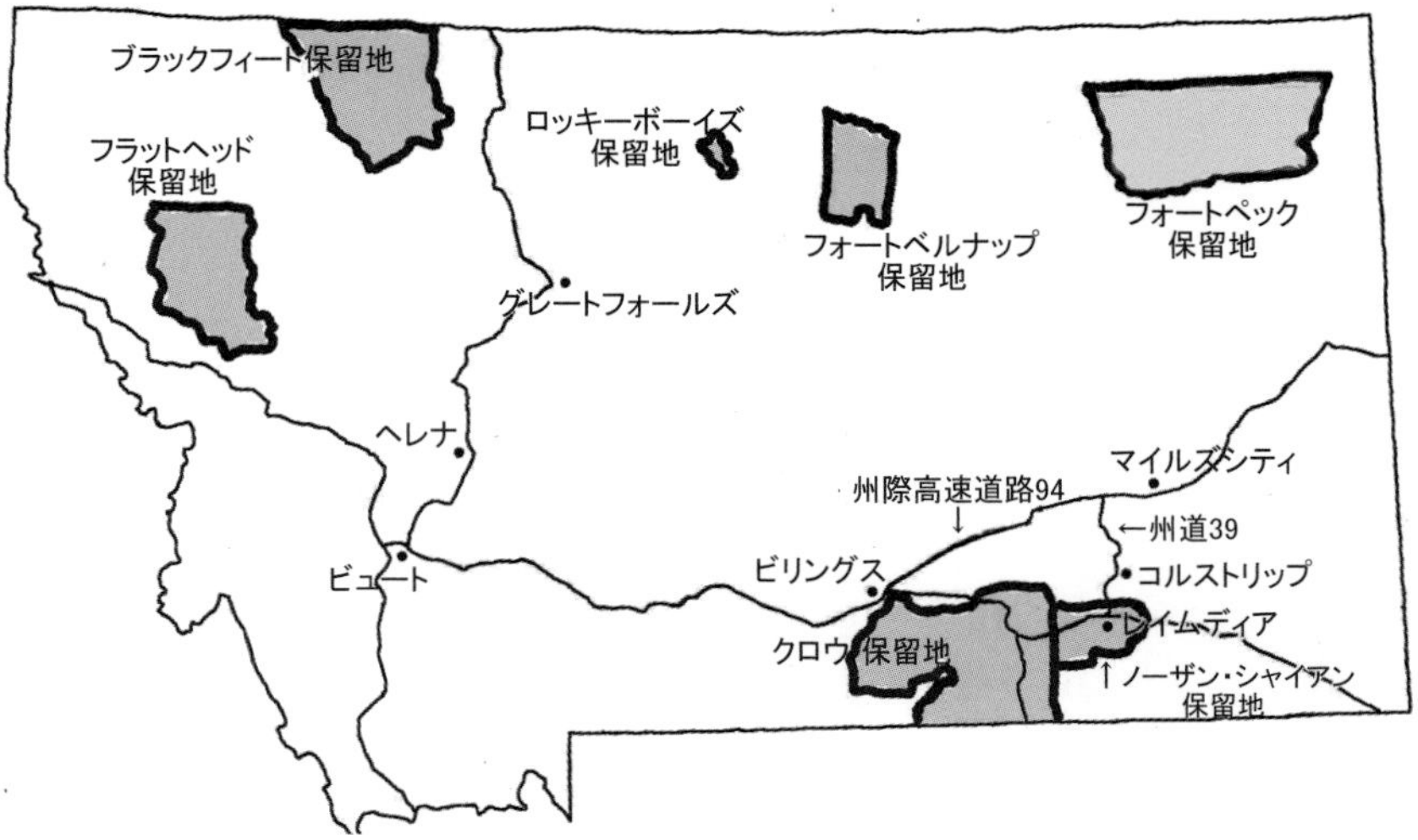


地図１　モンタナ州の先住民保留地

合衆国の歴史教科書にシャイアンが登場するのは、一九世紀半ば、ミシシッピ川以西の土地が国土として意識されるようになり、平原先住民の存在が西漸運動の障壁となったあたりでしょう。ノーザン・シャイアンはスーやアラパホといった部族とともに、一八七六年にカスター中佐率いる第七騎兵隊を壊滅させたことで知られています。この出来事は、建国百周年の祝賀ムードに包まれていた首都ワシントンを震撼させました。

合衆国史の教科書に登場する、先住民に関する記述はごく僅かです。こうした状況を考えるならば、部族の歴史を学ぶための書籍として『シャイアンの歴史』が存在することには、大きな意味があります。しかし、部族の来歴を描く『シャイアンの歴史』も、「歴史として語られるべきこと」に関する取捨選択については、オーソドックスな手法から解放されてはいません。

『我ら、ノーザン・シャイアン』は、『シャイアンの歴史』が扱わなかった女性、精神世界、エネルギー問題、教育問題、退役軍人といったトピックを扱っており、これは新たな試みであると言えます。一方で、既存の歴史が扱ってこなかったトピックを追加することが、先住民の歴史の新しい語り方になるとは言えません。歴史の語り方の基軸を変えることなく、エピソードを追記するという手法は、歴史教科書の随所に見られる「コラム」を想起させます。足りない情報を補足するというやり方です。

多くの場合、合衆国の繁栄とそれに伴う先住民の衰退は「必然」として描かれます。あたかも、それ以外の道がなかったかのような「時計仕掛けの歴史」です。しかし、多くの先住民が落命したことや、彼らの土地が奪われたことは、合衆国の強硬な対先住民政策の結果であり、「必然」ではありません。「共存」といった別なシナリオもあり得たはずです。

新しい歴史記述のあり方を模索する試みは一通りではありません。(6) ここでは『我ら、ノーザン・シャイアン』を手がかりに、「今」を生きる先住民の人びとに「意味を与える歴史」のあり方を考えてみたいと思います。

## ◆「帰還」という物語

『我ら、ノーザン・シャイアン』は、部族の世界観を示す創世の物語から始まります。それに続くのは、「帰還」と題されたセクションです。(7)「帰還」の物語は一九九三年、スミソニアン自然史博物館から部族に返還された一八柱の遺骨が、保留地に再埋葬されたエピソードから始まります。遺骨となって帰郷したのは、一八七九年にフォート・ロビンソンで命を落とした人たちでした。

一九世紀後半、西部開拓が進む平原地において、ノーザン・シャイアンは合衆国陸軍と戦い、自分たちの生活圏を守ろうとしました。一八七六年にはローズバッドクリーク

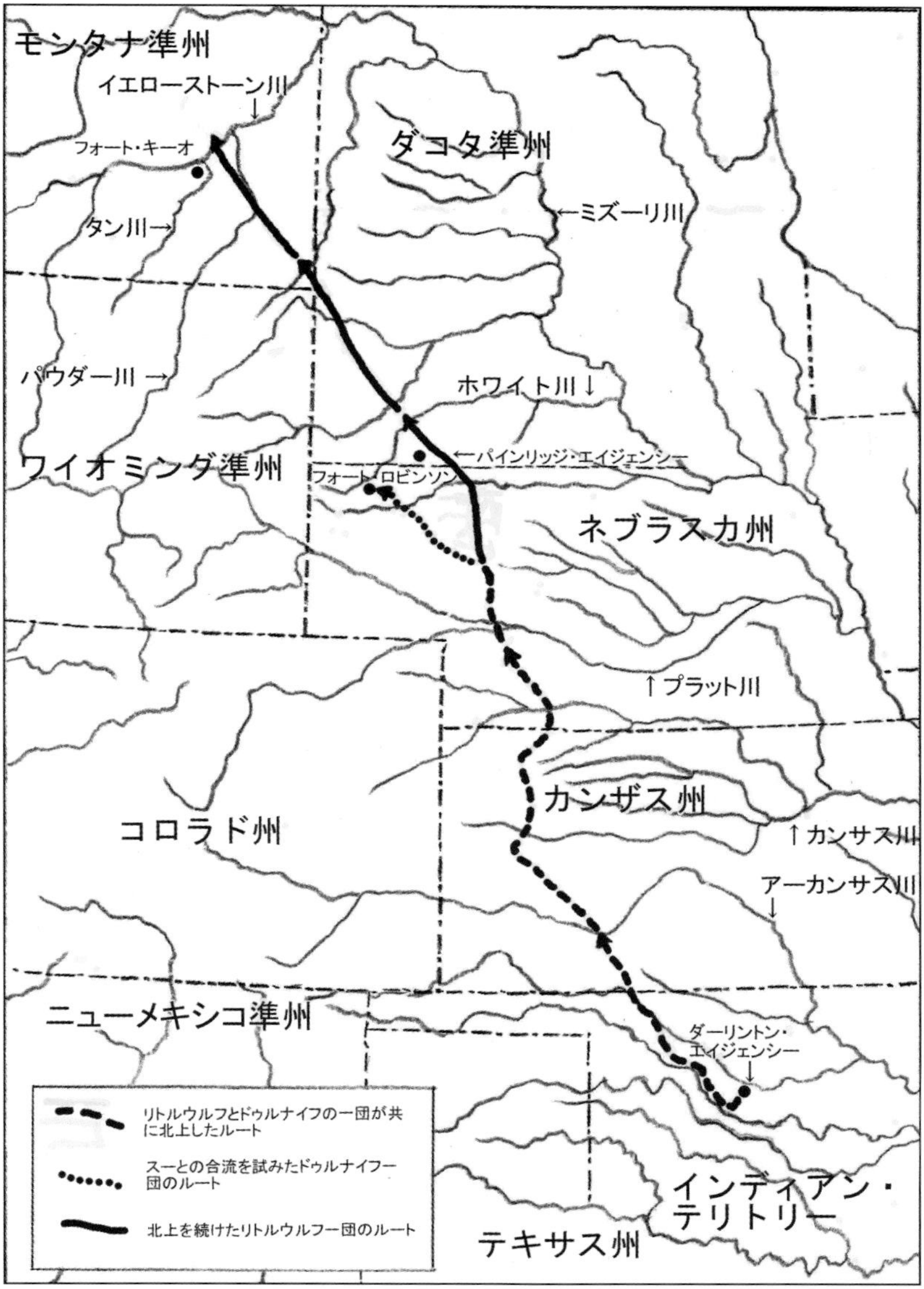


地図2　1878 － 1879 年ノーザン・シャイアンの北上ルート　（出典：***Chief Dull Knife College, We, the Northern Cheyenne People: Our Land, Our History, Our Culture, (MT: Red Bird Publishing, Inc., 2008), p. 27*** より作成。州・準州・テリトリーの表記は、1878 － 1879 年時点のもの。）

の戦い、リトルビックホーンの戦いに勝利しましたが、いくつかの戦闘の末、ノーザン・シャイアンのうち最も大きな集団がネブラスカで拘束され、一八七七年にインディアン・テリトリー（現在のオクラホマ州）(8)への移動を強いられました。

移動先での生活は、軍が約束したものとは違っていました。過密で不衛生な環境に置かれ、約束された配給もままならない南部では、亡くなる者が後を絶ちませんでした。こうした状況下、チーフ・ドゥルナイフとチーフ・リトルウルフが、北部平原地への帰還を願う三五〇名程の人びとを率いて、収監先であったダーリントン・エイジェンシーから脱出。一八七八年九月のことでした。季節が変わり寒さが厳しくなるなか、十分な装備もないまま、軍の追撃を躱しながらひたすら北を目指した一団は、ネブラスカで二手に分かれます。リトルウルフの一団は北上を続け、ドゥルナイフの一団はスーとの合流を試みました。程なくしてドゥルナイフの一団約一五〇名は軍と遭遇し、ネブラスカのフォート・ロビンソンに収監されました。

インディアン・テリトリーからネブラスカまでの距離は、およそ七〇〇マイル（約一一〇〇キロメートル）。リトルウルフらが目指した北の地は、更にその先でした。合衆国を縦断するほどの距離を彼らが移動するとは、誰も想像しなかったでしょう。当時の東部メディアは、北部への帰還を目指すシャイアンを同情的に報じました。しかし、連邦政府は先住民が強制移動に抗うことを許しませんでした。

ドゥルナイフの一団はインディアン・テリトリーへの再移動を求められましたが、これを拒否。軍は食糧と暖、更には水の供給をも止めて再移動を強要しました。一八七九年一月九日未明、一団は収監されていたバラックから脱出。その場で銃撃されて亡くなった者や、数週間に及ぶ追撃の末に殺害された者など、六四名が落命しました。[9]

一九九三年に保留地に遺骨として帰還を果たしたのは、この時に落命した人たちです。彼らはスミソニアン自然史博物館に一〇〇年以上、「標本」として保管されていました。もしも、一九世紀末に亡くなった西部開拓者の遺骨が、自然史博物館に標本として収蔵されているという事態が発覚したら、多くの人は強烈な違和感を感じるでしょう。信じ難いことですが、先住民を「滅びゆく民」と見做し、軍がその「標本収集」に血道を上げた時代があったのです。

写真１　フォート・ロビンソン、アウトブレイク・バラック。復元され、内部は展示室となっている。（2009 年４月、撮影：著者）

一八七九年にフォート・ロビンソンで亡くなったシャイアンの人たちは、一九九〇年アメリカ先住民墓地保護及び返還法（ＮＡＧＰＲＡ）の制定を経て、彼らの親族が待つ地に「人」として埋葬されました。[10] ＮＡＧＰＲＡは先住民の人権回復の法なのです。

合衆国では一九六〇年代に至るまで、先住民に関する研究は歴史学では扱われず、専ら人類学、地域研究の領域に限られてきました。一九六〇年代は、「レッドパワー・ムーヴメント」と呼ばれる先住民の権利運動が台頭した時代です。同化政策の下、先住民の人びとは長く独自の文化や言語を否定され、儀式の実施を禁じられてきました。先住民の権利運動を経て、連邦の対先住民政策は部族の自治・自決を尊重するものへと変わり、部族の文化・言語・信仰の復興が始まりました(11)。

「移民国家アメリカ」の文脈に即さない自身の来歴を、先住民の人びとは長く語る機会を得られませんでした。彼らが自らの歴史を語るに至るには、多くの課題が解消される必要があったのです。彼らが歴史を語る営為には、「不可視化された過去を蘇らせる」以上の意味があります。彼らは「歴史」への帰還を果たし、アメリカ大陸には異なる観点から語るべき物語が存在することを示したのです。

## ◆祖先の犠牲

『我ら、ノーザン・シャイアン』における「帰還」の物語は、ドゥルナイフ一団のフォート・ロビンソンからの脱出、リトルウルフ一団のマイルズ将軍への投降について語った後、部族保留地設立の経緯を概説して結びとなります。現在、保留地が所在するモンタナ州南東部タン川流域での居住を始めたのは、マイルズ将軍のために働いたシャイアンの一団でした。マイルズ将軍の後押しもあり、一八八四年、大統領令によってタンリバー保留地が設立されると、それまで散り散りになっていた集団が保留地に集うようになります。地域では先住民排斥運動が度々起きていました。こうした逆風に晒されながらも、一九〇〇年、部族は悲願であった部族占有となるノーザン・シャイアン保留地を得たのです(12)。

今日、ノーザン・シャイアンの人びとは、祖先の北部平原地への帰還は、子孫が「故郷」で生きることを可能にするために払った「犠牲（sacrifice）」である、という解釈をしています。私は保留地に住む人びとへのインタビューを重ねるなか、幾度となく「祖先の犠牲」という言葉を耳にしてきました。

私がノーザン・シャイアン保留地を初めて訪ねたのは、一九九五年のことでした。以降、保留地を毎年訪ね、出会った人たちと親交を深めるなかで、彼らの生きてきた道程をもっと腰を据えて理解したいという思いが募り、彼らの人生の語りをインタビューという形で聴かせてもらうことを決意しました。ジムは初めてインタビューを受けてくれた知人の一人です。彼は自らの人生を語るなかで、次のように語ってくれました。

彼らは多くの犠牲を払った。オクラホマでは暑さのために多くの人が亡くなった。フォート・ロビンソンで、ドゥルナイフの一団は殺戮された。リトルウルフの一団が、今日、我々が住む土地へと帰ってきた。犠牲を払った人びとにまつわる多くの異なる物語があるが、そうした話を思い起こすことで勇気が湧いてくる。我々が今日存在するために、本当に大きな犠牲を払った人たちがいたんだ。［中略］自分が困難に出遭ったとき、以前、誰かがそうした経験を既にしていたことを思い起こすことで、智慧を得ることができる。(13)

インタビュー当時、六〇代後半であったジムは同化政策を基とした教育を受け、成人してからは内務省インディアン局が推し進めたインディアン都市移住計画によって、保

写真２　聖地ベアビュート（2013 年８月、撮影：著者）

留地を一旦離れるという経験をしています(14)。

四〇歳の時、保留地在住であった母親が亡くなったのをきっかけに帰郷。その後、保留地近郊コルストリップの火力発電所でエンジニアとして働き、定年退職するまで家族を支えました。彼が部族の伝統の道へと誘われたのは、アルコール依存からの回復過程においてでした。飲酒の習慣は幼い頃から始まっており、四〇代になってアルコール依存であると理解した時には、「打ち砕かれ、思わず号泣した」と語っています。

> 白人社会に身を置いたこと。そこからアルコールの問題は始まった。白人社会で長く生きてきたが、自分がアルコールの問題を抱えていると知って目が覚めた。そうした体験が精神世界への扉を開けてくれた。シャイアンの伝統的な生き方へと気持ちが向かっていったのは、自分にとって自然なことだった。幼い頃には伝統に触れていたはずなんだが、その時「依存症と対峙するようになった時」になってやっと、その教えが実に理に適ったものであることがわかったんだ(15)。

ジムは部族の伝統結社のメンバーに支えられて、心身の浄化と祈りの場であるスエットや、部族の聖地であるベアビュートでの断食(16)

を経験し、アルコール依存を徐々に克服していきました。彼自身も結社のメンバーとなり、私が出会った頃には部族の儀式や催事、学校行事、若者の支援に精力的に関わっていました。

「伝統の継承」と聞いて、皆さんはどのようなイメージを持つでしょうか。伝統は昔から変わることなく存在していて、継承者はその形態と精神を学ぶという感じでしょうか。一九七八年アメリカ・インディアン宗教自由法制定に至るまで、信仰の自由を抑圧されてきた先住民の人びとにとって、伝統の継承は簡単なものではありません。共同体のネットワークの内に自らの人生を据えることで、先達が守り育んできた世界観が意味あるものとして実感される。その過程で「継承」が起こることを、ジムの語りは示しています。

保留地では「外の世界（outside world）」という言葉を度々耳にします。疎外感を抱えながら「外の世界」で生きていた間、ジムには自分の人生を支える「文脈」がありませんでした。ジムは伝統結社のメンバーとの繋がりを通して、人生に意味を与えてくれる部族の世界観を見出していきました。困難に向き合うなか、故郷と呼べる地を与えてくれた祖先の物語を想起しながら、彼は人生を取り戻していったのです。

## ◆土地との絆

「祖先の犠牲」を思い起こし、先達との対話を重ねる体験は、伝統に通じた特定の個人のみに限られたものではありません。ノーザン・シャイアンの人びとは、それぞれの人生を歩むなかで「帰還」の物語から力を得ています。そしてそのことは、「故郷である保留地」の保持・保全に結びついています。

私たちは幼い頃から、どうやって祖先がオクラホマから歩いてここまで帰ってきたのか、その物語を聞いて育った。私たちの故郷のために、彼らがどのような犠牲を払ったのかを私は知っている。祖先があれほどの困難に耐えたのであれば、私たちもこの土地を守るためにすべき努力ができる。ここは貴重な場所で、だからこそ私たちはこの土地を大事に扱い、その世話をしなくてはならない。[17]

都市移住計画を経験した後、保留地に戻って三人の子どもを育て上げたネリーの言葉です。二〇〇四年、彼女はメタンガス開発のために四〇〇〇もの井戸の採掘が保留地内で計画されていると知り、環境活動家ゲイル・スモールが指揮する反対運動に参加し、土地管理局へ抗議の手紙を送りました。

ノーザン・シャイアン保留地には、良質の石炭が豊富に埋蔵されています。一九七〇年代には、インディアン局が資源開発会社に有利な土地リース契約を部族に仲介し、保留地の約七〇%もの土地が石炭採掘の契約下に置かれるという異常事態が起こりました。経済困窮著しい部族の弱みにつけ込んだ取引でした。搾取の構図を見とった部族評議会は、一九七三年に締結契約を全て解消することを決定。不当な契約を仲介した内務省インディアン局の規制違反、信託責任不履行を訴え、一九八〇年に凍結状態に置かれていた全ての契約の無効化を成し遂げました[18]。

保留地土地散逸の危機もありました。ノーザン・シャイアン保留地では一九五七年、一般土地割当法によって個人に付与されていた土地が初めて売りに出されました[19]。部族評議会は保留地土地の散逸を防ぐため、土地購入のためのローンを申請しましたが、インディアン局はこれを阻止。結果、六〇区画の土地が部族外へと売却されてしまいました。当時の部族評議会議長ジョン・ウドゥンレッグとインディアン局とのやりとりを、娘のトレッサはよく覚えています。

部族はインディアン局にローンの申請をしたけれど、何の知らせもない。父がビリングスに出向いて局長をオフィスに訪ね、部族の土地計画のことを尋ねると、「あれはファイルナンバー一三に入っている」[20]と言ってゴミ箱を指差した。ファイルナンバー一三って、ゴミ箱のことだったのよ。

ウドゥンレッグはアメリカ・インディアン問題協会の協力を得て、部族の土地散逸防止プログラムを打ち立て、一九六二年に土地買い戻しプログラムを始動させました。トレッサは部族評議会に請われてインディアン局の不動産事務官となり、一九五九年から三〇年にわたって、保留地土地の散逸に歯止めをかけるべく奔走しました。こうした尽力が実り、現在では約四四万五〇〇〇エーカーの部族保留地のうち、九九％が部族もしくは部族メンバー個人の所有となっています。

ネリーは「ここで生まれ育ったのだから、ここが自分本来の場所だと感じている」と述べ、故郷との絆をアイデンティティの礎としています。シャイアンであることに誇りを持つネリーですが、幼い頃には部族内で「混血」、「白人女」と呼ばれることもあったと言います。彼女はシャイアン、チッペワ、クリーク、オグララ・スー、フランス系カナダ人と、様々な祖先を持っています。

現在、「部族」という単位は固定化され、複数の部族の登録メンバーとなることはできません。自認の仕方は限られたものとなり、これが「純血／混血」という議論を生んでいます。これは先住民を管理しようとする連邦の制度によるものです。[21] 元来、先住民集団は合体や分離という、流動性を有していました。実際、「シャイアン」は一九世紀初頭にティスティスタスとスッタイという二つの集団が合流して形成されました。一九世紀半ばには、合衆国の軍事戦略によって南北の往復路が断絶されたことで、サザン・シャイアン、ノーザン・シャイアンという二つの集団に分かれました。

土地との絆に自らの存在を託すネリーの自己表明には、押し付けられた制度を跳ね返す力強さがあります。

## ◆帰路

「保留地」は、合衆国が先住民から奪いきれなかった先住民の土地です。先住民のために「保留された土地」ではなく、本来的に先住民の土地なのです。ノーザン・シャイアンが強制移動や先住民排斥運動に屈することなく、一九〇〇年に部族占有となる生活圏を得たことには敬意を払わざるを得ません。そうした気持ちを抱くと同時に、移動集団として広大な土地の様を知る彼らが、何故モンタナ州南東部のタン川流域を「故郷」と定め、多大な犠牲を払ってそこへの帰還にこだわったのかという問いが、私のなかにずっとありました。

写真３　なだらかな丘をもつ保留地の風景（2013年８月、撮影：著者）

明確な答えが得られたわけではないのですが、「感覚」を得る体験がありました。

ノーザン・シャイアン保留地から北へ一〇〇マイル（一六〇キロメートル）程の距離に位置するマイルズシティは、マイルズ大佐に投降し、軍の斥候として働いたノーザン・シャイアンの一団が生活のベースとした場所であり、強制収容先のオクラホマから脱出したリトルウルフの一団が最終的に辿りついた地です。ノーザン・シャイアンの人びとにとって所縁浅からぬ場所ですが、私は訪ねたことがありませんでした。保留地から片道二時間程度のドライブで着くと聞き、インタビューのない日を見計らって出かけました。

残念ながら、マイルズシティに見るべきものはあまりありませんでした。ノーザン・シャイアンの人びとが生活したフォート・キーオは当時の面影を留めておらず、地域ミュージアムの展示も地元牧場主らの歴史を中心としたものでした。「こんな日もあるさ」と自分に言い聞かせて車に乗り込み、滞在していた保留地への帰路に就いたのは夕方。モンタナ州を東西に横切る州際高速道路《インターステイト・ハイウェイ》九四号線を西に戻り、一時間ほど走ったところで南へ下る州道《ステイト・ハイウェイ》三九号線で保留地へ向かいました。州際高速道路九四号線は雄大なイエローストーン川沿いに走っており、川沿いに続く木々の緑とそれに続く広大な平原の風景は単調ではあるものの、それなりの美を湛えています。しかし、高速道路を降り、片側一車線の州道三九号線を南へ下っていくうちに、私のなかに思いがけない気持ちが湧いてきました。

それまでの景色になかった、なだらかな傾斜をもつ丘が見えてきた時、「ああ、帰ってきた」という感慨にも似た思いが湧き上がってきたのです。保留地滞在中には見慣れていた風景が、マイルズシティからの帰路、新たな意味を持って胸に迫ってきました。

一介の訪問者である私の「帰ってきた」という思いを、一九世紀末、命を賭してやっとの思いで帰還したシャイアンの人たちの思いに、単純に重ねることはできません。それは百も承知なのですが、フォート・キーオを後にして、タン川流域へと向かった時に感じたであろう、当時のシャイアンの人たちの逸る気持ちが自然と想像されました。徒労としか感じられなかった一日の最後に、思いがけない発見が待っていました。

シャイアンの友人にこの体験を話したら、「その通り（You got it.）」という返事が返ってきました。

この体験を経て、ノーザン・シャイアンの人びとの歴史の何を私が理解したと言えるのか。説明を尽くすことは難しいでしょう。できることは、呼び起こされた過去の人びととのつながりの感覚を基に、歴史記述のための視座を磨くことであると感じています。

# ●戦争が生んだ問いと感情——南ベトナムで書かれたアメリカ人の手紙

小滝　陽

## ◆答えのない問いを書きつづる

はじめに、一九六八年の暮れに南ベトナム北部の都市クアンガイで書かれた手紙を引用します。書いたのはドット（ドロシー）・ウェラーという、カリフォルニア州出身の理学療法士です。ウェラーは、キリスト教の一派クェーカー教徒の平和・人道団体「アメリカフレンズ奉仕委員会（American Friends Service Committee、以下ＡＦＳＣ）」が派遣する援助チームの一員としてクアンガイを訪れ、戦争で傷を受けたベトナム人のためにリハビリを提供していました。

［一九六八年一〇月の］北爆停止とアメリカの選挙に対する、こちらの人びとの反応はどのようなものかと、皆さんの多くが私に尋ねましたね。それはまるで、どんなヒナギクにも花弁は一〇枚あるのかと尋ねるようなものですよ。私はそういう情報にはアクセスできませんし、今のところギャラップやハリス［などの世論調査機関］もアメリカの意見を追いかけるのに忙しくて、「ベトナムの風」を測ることはできていないようです。（ニッ［意味深な笑い］）［中略］私個人は、こちらで耳にしたことについて確信できることはほとんどありませんし、自分で見たものすら疑わしくなることがあります。(1)

ペンシルヴェニア州フィラデルフィアのＡＦＳＣ本部宛てに書かれた、この手紙（報告書）の中で、ウェラーはベトナムの人びとの政治的意見や現地の状況の不透明さを強調していいます。ですが、実のところ、ウェラーが最も知りたいと望み、それでいて知ることができなかったのは、ベトナムとの関係において自分が何者なのか、ということだったように思われます。

ウェラーが発した右の問いに対して、導き出される答えは常に断片的であり、予期しない出来事の中で揺れ続けます。例えば、ある日のウェラーは、サイゴン政権軍の兵士が禁じられたチン・コン・ソンの反戦歌を路上で弾き語る姿を見て、大半のベトナム人はイデオロギーによっていずれかの勢力を支持しているのではなく、ただ平和／和平を求めているのであり、その点で自分たちと望みを共有しているのだと考えました。[2]かと思えば、北爆停止後のある日にサイゴン政権を明確に支持するベトナム人が、自分たちはアメリカと革命勢力の間の密約によって裏切られるのではないかと絶望的な様子で話すのを聞き、いたたまれない気持ちとともに、自他の隔たりを感じます。[3]また別の日には、アメリカ人である自分の存在がベトナムの人びとに対して及ぼす負の影響を恐れ、ベトナムに居続けてよいのかと悩みました。ベトナムの状況やベトナム人の真意がわからないという冒頭の引用には、裏を返せば、自分がベトナムにとってどのような存在であるかを知り得ないという意味もあったかもしれません。

アメリカがベトナムに攻撃を加え、眼前の被害者を生み出しているときに、人道主義者・平和主義者である自分と、アメリカ人である自分とがもつれ合ったことで、ウェラーの中には複雑な感情が生まれたようです。ウェラーの手紙は、深刻な問題を語る時でさえ皮肉やユーモアを伴うことがあり、文末に「ニッ（grin）」や「ハァ／ためいき（sigh）」などと書かれていたり、書き手の表情を示すイラストが添えられていたりすることも多いのですが（写真1）、そうした表面的な軽さでさえ、容易に受け入れがたい現実から距離を取り、矛盾にとらわれた自身の迷いや苦しみ、その他の感情を努めて客観視しようとする身振りに見えてきます。

そのようなウェラーの手紙には、戦争の中で揺れ動いた一人のアメリカ人の思考のあとが留められています。この手紙を読むことで、私は、ウェラーが多くの言葉を費やして戦争を語ろうとする背景にあった、状況と感情に思いを馳せてみたいと思います。

### ◆戦争の惨禍に心を痛め、罪の意識を抱く

ウェラーは戦争被害を間近に見て、ベトナムに対するアメリカの、そして、アメリカ人としての自身の加害性を感じていました。

クアンガイ省の省都クアンガイ市は、南シナ海沿岸を南北に結ぶ国道1号線に面した人口約一万の都市であり、周辺では、米海兵隊・サイゴン政権軍・韓国軍と革命勢力が村落の支配をめぐり争っていました。(4) 当時、クアンガイ省には八万人から九万人の避難民がいるとされましたが、これは南ベトナム全体で二番目に多く、その約半数はクアンガイ市から八キロ以内の避難民キャンプに居住していました。また、戦闘による民間人死傷者も膨大で、ヘリコプターのピストン輸送で五〇〇人が市内の病院に運ばれた日もあります。(5) この地に一九六七年夏に開設されたＡＦＳＣの障がい者リハビリセンターが、

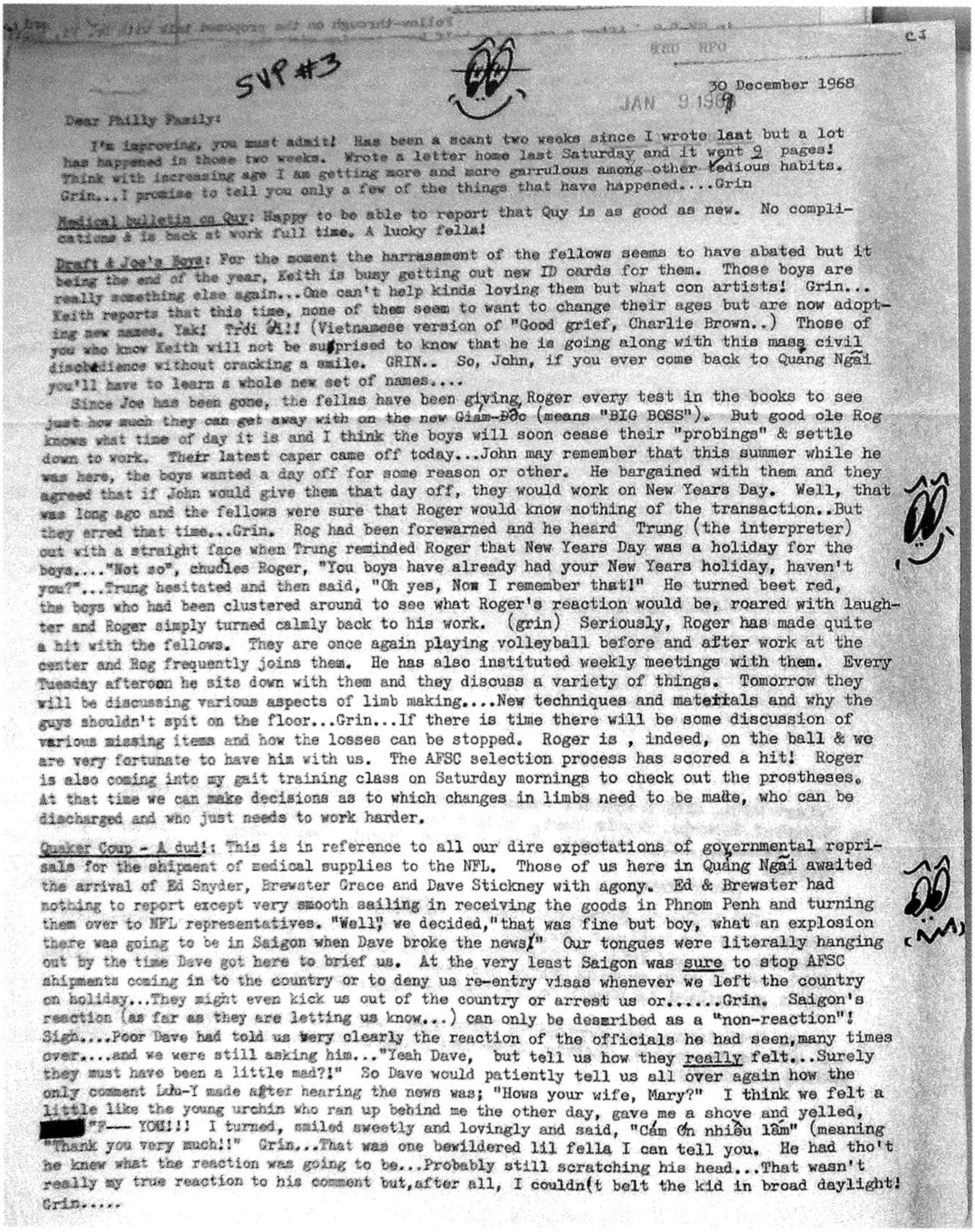

SVP #3

30 December 1968

JAN 9 1969

Dear Philly Family:

I'm improving, you must admit! Has been a scant two weeks since I wrote last but a lot has happened in those two weeks. Wrote a letter home last Saturday and it went 9 pages! Think with increasing age I am getting more and more garrulous among other tedious habits. Grin...I promise to tell you only a few of the things that have happened....Grin

Medical bulletin on Quy: Happy to be able to report that Quy is as good as new. No complications & is back at work full time. A lucky fella!

Draft & Joe's Boys: For the moment the harrassment of the fellows seems to have abated but it being the end of the year, Keith is busy getting out new ID cards for them. Those boys are really something else again...One can't help kinda loving them but what con artists! Grin... Keith reports that this time, none of them seem to want to change their ages but are now adopting new names. Yak! Trời ơi!! (Vietnamese version of "Good grief, Charlie Brown..) Those of you who know Keith will not be surprised to know that he is going along with this mass civil disobedience without cracking a smile. GRIN.. So, John, if you ever come back to Quảng Ngãi you'll have to learn a whole new set of names....

Since Joe has been gone, the fellas have been giving Roger every test in the books to see just how much they can get away with on the new Giám-Đốc (means "BIG BOSS"). But good ole Rog knows what time of day it is and I think the boys will soon cease their "probings" & settle down to work. Their latest caper came off today...John may remember that this summer while he was here, the boys wanted a day off for some reason or other. He bargained with them and they agreed that if John would give them that day off, they would work on New Years Day. Well, that was long ago and the fellows were sure that Roger would know nothing of the transaction..But they erred that time...Grin. Rog had been forewarned and he heard Trung (the interpreter) out with a straight face when Trung reminded Roger that New Years Day was a holiday for the boys...."Not so", chuckles Roger, "You boys have already had your New Years holiday, haven't you?"...Trung hesitated and then said, "Oh yes, Now I remember that!" He turned beet red, the boys who had been clustered around to see what Roger's reaction would be, roared with laughter and Roger simply turned calmly back to his work. (grin) Seriously, Roger has made quite a hit with the fellows. They are once again playing volleyball before and after work at the center and Rog frequently joins them. He has also instituted weekly meetings with them. Every Tuesday afternoon he sits down with them and they discuss a variety of things. Tomorrow they will be discussing various aspects of limb making....New techniques and materials and why the guys shouldn't spit on the floor...Grin...If there is time there will be some discussion of various missing items and how the losses can be stopped. Roger is , indeed, on the ball & we are very fortunate to have him with us. The AFSC selection process has scored a hit! Roger is also coming into my gait training class on Saturday mornings to check out the prostheses. At that time we can make decisions as to which changes in limbs need to be made, who can be discharged and who just needs to work harder.

Quaker Coup - A dud!: This is in reference to all our dire expectations of governmental reprisals for the shipment of medical supplies to the NFL. Those of us here in Quảng Ngãi awaited the arrival of Ed Snyder, Brewster Grace and Dave Stickney with agony. Ed & Brewster had nothing to report except very smooth sailing in receiving the goods in Phnom Penh and turning them over to NFL representatives. "Well," we decided,"that was fine but boy, what an explosion there was going to be in Saigon when Dave broke the news!" Our tongues were literally hanging out by the time Dave got here to brief us. At the very least Saigon was sure to stop AFSC shipments coming in to the country or to deny us re-entry visas whenever we left the country on holiday...They might even kick us out of the country or arrest us or......Grin. Saigon's reaction (as far as they are letting us know...) can only be desribed as a "non-reaction"! Sigh....Poor Dave had told us very clearly the reaction of the officials he had seen,many times over....and we were still asking him..."Yeah Dave, but tell us how they really felt...Surely they must have been a little mad?!" So Dave would patiently tell us all over again how the only comment Lưu-Y made after hearing the news was; "Hows your wife, Mary?" I think we felt a little like the young urchin who ran up behind me the other day, gave me a shove and yelled, [redacted] "F—— YOU!!! I turned, smiled sweetly and lovingly and said, "Cảm ơn nhiều lắm" (meaning "Thank you very much!!" Grin...That was one bewildered lil fella I can tell you. He had tho't he knew what the reaction was going to be...Probably still scratching his head...That wasn't really my true reaction to his comment but,after all, I couldn(t belt the kid in broad daylight! Grin.....

写真1　ドット・ウェラーの手紙（クアンガイ市から、1968年12月30日付）。同様の顔イラストは他の手紙にもたびたび登場する。「ニッ」などのオノマトペは、このイラストと対応することもある。（アメリカフレンズ奉仕委員会所蔵）

ウェラーの職場になりました。そこでは患者の八五%から九五%という圧倒的多数が民間の戦争被害者でした。[6] おのずと、ウェラーの手紙にも戦闘や破壊の情報、犠牲者への言及が頻出します。

一九六八年初頭のテト攻勢による一時避難の後、夏までにクアンガイに戻ったウェラーたちは、一一月に郊外の戦闘に巻き込まれて緊急搬送された多数の民間人の治療を手伝うため、AFSCの施設に隣接する省立病院の救急エリアに立ち入りました。

日曜午前のほとんどの間、緊急処置室は前夜の戦闘の負傷者でいっぱいでした。ここ数か月、数週、数日と、大した変化はほぼありません。負傷者たちは同じように血を流し、泣き叫んでいます・・・本当に、何も変わりません。負傷者の体をつつむホコリや血、人の排せつ物も、傷のまわりに群らがるハエも、医療ミスも、変わりがない。[アメリカの] 公衆が起き上がって注目するような変化は、ここにはないのです。つまるところ、一人の死者を見れば、それですべて分かりますから。現段階の戦争は、アメリカでニュースコラムを毎日すみずみまで読むような人にとっては「既知のこと」に違いありません。[7]

この日の出来事は、ウェラーの心に特に大きな傷を残したようですが、これに限らず、連続した惨事のストレスは、心身の不調を引き起こしました。

この一か月かそこら明らかに張りつめています。「気難しい」患者に対しては、こちらもトゲトゲしくなっているのがわかるし、時おり手足が震えるし、頭は痛むし、根気が続きません。爆弾が一つ落ちるたびに、我が国の人びとがありとあらゆる「善意」でもってベトナムの人びとに与えている苦しみが、突き刺すような罪悪感と痛みをもって感じられます。私が洗って包帯を巻く、切断されて血を流す手足。私の手元をつたう涙。そうしたもの全てによって、私は自分がベトナムの破壊に関わっていることを思い知るのです。(8)

最後の一文が示すように、ウェラーの心痛の一部は、ベトナムの被害の責任を、アメリカ人である自分が共有しているとの考えからきていたようです。

### ◆アメリカとベトナムの関係に組み込まれた、レイシズムに憤る

自由のレトリックと反共の旗の下に、「援助」と称して行なわれるアメリカのベトナムへの介入が、ベトナムの人びとの抑圧につながる構造を、ウェラーは子どもの被害を通して見つめました。アメリカ兵に付き添われてＡＦＳＣの補装具工房を訪れた一三歳のベトナム人少年は、米軍の任務を手伝うなかで地雷を踏み、両足を失っていました。彼は、月四〇ドルと食べ物などの報酬を提示され、「斥候」のような仕事をさせられていたというのです。この話を同僚から聞かされたウェラーは、「犯罪的な搾取」だと怒りました。Ｍ一六小銃を持たされた少年は米軍より前にベトナムの村に入り、地雷や罠

がないか見てまわり、「VC〔ベトナム人の共産主義者〕」がいないか確認させられたり、拷問の手伝いをさせられたりしていたといいます。手紙の中でウェラーは、アメリカ兵が自国の子どもには決してさせられないことをベトナムの子どもにさせていると指摘し、怒りを露わにしています。(9)

この出来事についてウェラーが特に注目しているのは、少年が、一見したところ望んで米軍の手伝いをしていたという点です。少年を連れてきたアメリカ人の大尉は、自分たちから少年に「強制」したことはなく、「自ら進んで」仕事を引き受けたのだと主張しました。実際、ウェラーの同僚が大尉を詰問したところ、かたわらにいた少年が同僚を睨んできたといいます。どうやら、大尉に懐いていた少年は、自分が原因で大尉が責められていると思い、腹を立てたようです。また、少年は「ツギハギの軍服」と「グリーンベレー〔米軍特殊部隊のベレー帽〕」を被せられ、「任務」を果たすことに誇りを感じていたとも書かれています。(10)

しかし、ウェラーはこれを少年の自発性の証拠とは見ません。むしろ、命に関わる仕事を月四〇ドルの報酬で子どもにさせられる、アメリカとベトナムとの間の非対称な関係まで含めて批判します。ベトナムの子どもに危険で加害的な任務をあえてさせるアメリカ兵の意識の問題に加え、アメリカとベトナム、そして、アメリカ兵とベトナムの人びとの間に形成された力関係が、それを許す背景となっていること、つまりは構造化された人種主義《レイシズム》の問題が、ウェラーの目に映っていました。

## ◆不安と恐れの中で自己を省みる

クアンガイ近郊の村々ほどではないにせよ、ＡＦＳＣの施設が所在する市内にも戦火は及んでいたので、ウェラーは自分たち援助チームが被るかもしれない危険について、不安や恐れを吐露しています。特に、攻撃の主がだれで、どこまで近づいてきており、その標的が誰なのかがわからないといった不透明な状況は、強いストレスになっていました。一九六九年三月一二日の手紙は、民間人に医療を提供しているクアンガイ市内の外国人医師が革命勢力による爆弾攻撃の対象になりかけたことを伝えています。この攻撃の意図や背景には不明な部分もありますが、無差別の人道主義を掲げて活動する自分たちであっても標的となり得ると考えたＡＦＳＣのチームには、緊張が走りました。「こんな状況に置かれた時こそ、両陣営に良き友を得て『中立の道』を行くことの難しさを痛感します。」とは、ウェラーの言葉です[11]。

しかし、こうした身の危険に対する恐怖

写真２　ベトナム語と英語のメッセージ（クアンガイのAFSC施設入り口に掲げられた）。以下は英語からの翻訳。「クェーカーはすべての人間の尊厳と平等を信じています。300年以上もの間、私たちはこの信念に導かれ、紛争解決に軍事力を使うことに反対してきました。」「私たちは、あらゆる場所で起きる人間の困苦を和らげ、人種、信仰、政治的見解の違いを問わず、助けを必要とする人びとに奉仕することを目指しています。」（写真はアメリカフレンズ奉仕委員会所蔵、1970年ころ撮影）

を突き詰めていく中で、結局ウェラーが行き着いたのも、自分たちの存在こそベトナムの人びとにとって危険なのではないかという、裏腹な恐れだったようです。一九六九年の三月に書かれた手紙には、米軍との付き合いがベトナムにおける自分たちの立場を危うくするのと同様、自分たち外国人の存在が、身近なベトナムの人びとを「危険にさらしている」のであり、互いの立場の違いを認識して、この地を去らねばならない、と記されています。[12] 自分たちの存在はベトナムの人びとにとって有益どころか、むしろ有害ではないのか。AFSCのスタッフたちは、周囲のベトナム人に何度も尋ねたようですが、この問いは特にウェラーの心を深くとらえ、堂々巡りの思考がベトナムを去る日まで続きました。

## ◆人とのつながりを通して、ベトナムにいる意味を感じる

周囲で次々に起きる悲惨な出来事の間にも、ウェラーはリハビリセンターでの施術や理学療法の専門教育で、多忙な日常を過ごしていました。ウェラーは、こうした日々の活動と生活の記録を小さな文字でびっしりとタイプした手紙を何通も、フィラデルフィアのAFSC本部に送っています。それはまるで、ベトナムの人びとと共に過ごす日々の細部にこそ、自分たちの活動の意味があると、考えていたかのようです。

実際、ウェラーの手紙には、ともすれば活動への気力をくじかれそうになる彼女を鼓舞するような、力強いベトナム人の姿が描かれます。リハビリセンターと並んで、クアンガイにおけるAFSCの事業の柱となっていた託児所の施設主任、スアン・ランがと

りわけ目を引きます。ランはウェラーの手紙にたびたび登場し、その聡明さと有能な仕事ぶり、不屈とも思える信念と子どもたちへの愛情を称賛され、ほとんど無条件の敬意をささげられている女性です。戦争のせいで父親をはじめとする働き手を失った家族から就学前の子どもを預かり、保育と教育を提供していたランは、自分が病気のときも施設運営のため懸命に働き、難民家族やベトナム人スタッフ、そして、ウェラーらＡＦＳＣのメンバーから信頼を得ていました。一九七一年の夏に施設がＡＦＳＣからサイゴン政権の社会福祉省へと移譲される際、引き続き施設に残るよう要請されたランは、政府のために働く気はないと言って、これを固辞し、他のスタッフの雇用が継続されることを見届けてから、クアンガイを去っていきました。このときランは、スタッフの給与を上げ、最も必要性が高い子どもを優先的に預かるという政府関係者の口約束を怪しみ、それが履行されているかどうか後で責任者に問い合わせるつもりだ、と言い残します。ウェラーは「（ニッ）ランなら、それも、やるでしょう！」と一言だけ記していますが、この言葉の中に、ともすれば自分が失いそうになる決意を持った、ランへのウェラーの感嘆の念が表れていると言ったら、言いすぎでしょうか(13)。

困難なベトナムの現実に変化がない中、ウェラーが自分の活動の意義を、ベトナム人とともに働くことの中に見出していたとは、少なくとも言えそうです。

ベトナムでの経験は、私個人にとって非常に満足のいくものでしたが、困難でストレスの多いものでもありました。一九六七年に、この国に来た時、自分の国の政府（その中には知り合いもいました）がベトナムの人びとにしていることに対して、私が抱いていた個人的な罪悪感と責任感は、おそらく今のほうが重たく、背負い難いものになっています。クアンガイ省での戦闘は激しくなったり、落ち着いたりを繰り返してきましたが、人びとが置かれた状況や、彼らがまともな未来について持ち得る希望については、いっさい進歩も変化も見られません。［中略］

クアンガイでのプロジェクトに対して、私は肯定的な思いを抱いています。ここに初めて来たとき以上に。我々がなしたことは、この国のニーズ全体を考えれば、大海の一滴にすぎません。それでも、我々は良いスタートを切ることができたし、我々がここを去ったはるか後まで残る何かを作り上げることもできました。それはなにも、ＡＦＳＣの施設やセンターで治療を受けた数千の人びと、現在も訓練を受けている卓越した［ベトナム人の］理学療法士や装具技師のことだけを言っているのではありません。あるいは託児所でしかるべき健康と教育を手にした数百人の子どもたちのことだけを言っているのでもありません。おそらく、はるかに根本的なことは、我々がここにやって来て、ベトナム人とアメリカ人の双方に関わる問題のため、彼らとともに働いたことです。共通の問題を解決しようと、ともに働いたのです。成功も失敗もともにしましたが、我々の協働は共通の関心に基づくものでした。この地で始まった再建は、ＡＦＳＣが去った後も、きっと紆余曲折を経るでしょう。でも、一九六六年に始まった互いを気遣いあうこと、そして、互いの為に働くことの根本的な部分は、何があっても消え去らないでしょう。(14)

ここでも、ウェラーはまず、ベトナムの将来についての悲観的な見通しと、そのことにアメリカ人として抱く罪悪感、困難な状況を残して去ることへの後ろめたさを語っています。また、人道のため懸命に働いたとはいっても、[15] それがベトナムの状況を変えるものではないとの認識も示しています。そのうえで、自分たちアメリカ人とベトナムの人びととの直接的な付き合いの中から、自身の活動の意味を引き出そうとしている点が印象的です。

あまりに大きな戦争被害を前にして、活動に対する信念や使命感の根拠も揺らぐ中、他者との個人的なかかわりの中に何かしらの希望や使命を手探りすることは、アメリカとベトナムの非対称な関係に規定されたウェラーという個人の、ミクロなレベルにおける米越関係の模索ではなかったでしょうか。

## ◆戦後、孤独を抱えながら「責任」に向き合う

サイゴン政権の崩壊とベトナムの統一から一〇年を経た一九八五年、戦争中ベトナムで活動していたアメリカ人女性たちに取材した、一冊の本が出版されました。『私の心のかけら』(*A Piece of My Heart*)と題するこの本の中に、著者キース・ウォーカー宛てに書かれた、ドット・ウェラーの手紙が収録されています。ウォーカーは当初、他の女性と同様、ウェラーにも対面での取材を申し込んでいましたが、面談予定の数日前の電話でウェラーが見せた様子から、インタビューの実施は難しいと判断し、予定をキャン

セルしていました。ウェラーの手紙は、それから数週間後、ウォーカーの手に届きました[16]。

ウェラーは、電話口で自分が見せた取り乱した様子とウォーカーに向けた非難について謝罪した後、現在でも悪夢や白昼のフラッシュバックといった、ベトナムでの経験に起因する症状に悩まされていること、症状のきっかけとなるため、共に活動したAFSCの仲間には連絡が取れないこと、他方で、身近な友人や家族を含め、ベトナムでの経験を共有しない人びとには自分の状況が想像できないため、押し寄せる感情に独りで対処しなければならないことなどを綴っています。また、ウェラーは、ベトナムで直面した悲惨な状況や米軍による加害の様相について語る自分の言葉が、アメリカの人びとに理解されず、時として怒りや憎悪さえかき立てることに疲弊したとも書いています[17]。

アメリカ人として戦時中のベトナムにおもむいたウェラーの場合、援助者でもあり加害者でもあるという自意識を抱えながら、そこに生きる人びととのつながりを得たこと、そして、帰国によって、それを失ったことが、心の傷やその背景にある戦争体験との向き合い方を方向づけたように思います。AFSCの活動に従事する中で、ベトナムに対するアメリカの加害を目撃し、苦悩したウェラーは、同時に、ベトナムの人びとに深い共感を寄せ、彼らと共に働くことに心の支えを見出しました。だからこそ、戦後、おそらくはベトナムとの直接的なつながりを欠いて、苦しんでいたにもかかわらず、（少なくともある時期までは）アメリカの人びとに向かって自分が見た戦争を語ろうとしていたのではないかと思うのです。

これを、「責任感」に突き動かされていた、と表現することもできるでしょう。一九七五年、『ロサンゼルス・タイムズ』紙に論説を寄稿したウェラーは、アメリカによるサイゴン政権への「援助」がベトナムの戦火を広げ、膨大な人的被害を生み出していると指摘し、一刻も早くこれをやめるべきだと訴えました。その文章の中に、ウェラーが帰国後も語り続けようとした理由の一端を示す言葉が紹介されています。それは、一人のベトナム人男性がウェラーに投げかけたとされる問いです。

写真３　アメリカフレンズ奉仕委員会本部入口（ペンシルヴェニア州フィラデルフィア）（2011 年、撮影：著者）

あなた方クェーカーは良い人たちです。我々が自立するのを助けるために来てくれました。前に来た人たちがしたような、政治的・宗教的なドグマの押しつけも、一切していません。でも、あなたたちはすぐに帰国してしまうでしょう。そのあとは、どうするのですか？我々のことを忘れるのですか？主にアメリカのお金と介入のせいで、戦争が煽られたというのに、それも忘れるのですか？クェーカーの人びとは、どこまで我々とともに進む気がありますか？(18)

右の言葉を胸に、帰国後、ウェラーはアメリカの人びとに自国の「援助」が生み出した惨状を伝えようとしました。なぜ、何のために、どんな感情に突き動かされて語るのか（あるいは語らないのか）。それは、史料から過去を見つめて歴史を語る私たちにも向けられる、問いではないかと思います。

# ●人が人として生きる権利——「支配する／される」という幻想を超えて？

樋口映美

## ◆ウィリアムソン教授の特別講演――リンチ事件

一九七七年の秋学期、ある平日の夕刻、私はノースキャロライナ大学チャペルヒル校でアメリカ合衆国の人種関係史と題する講義科目を担当していた教授ジョエル・ウィリアムソンの特別講演に出かけました。(1) テーマは、リンチ事件でした。講演開始一五分ほど前に会場に着くと、キャンパスYのそばにある会場ジェラードホールは、聴衆でほぼ満席でした。私は、大きなステージのすぐ前に空席を見つけて座りました。学生だけではなく、学外からも大勢の人が集まっていました。

教授は、ステージに現れると、いつも授業でするように折々立つ位置を変えながらポツポツと話し始めました。一九世紀末から二〇世紀、とりわけ一九三〇年代にかけて「黒人」を対象にしたリンチという多くの殺人事件（以下、リンチ事件）が、南部諸州において白人「暴徒」の手によって起きたことがまず明かされました。そのうえで、犠牲者がどのように処せられたかが特定の事例と共に詳しく淡々と語られました。

講義の後に聴衆が質問し講師が答える質疑応答の時間がありました。そのとき、手を挙げて指名された一人の女性の声が、「あなたが言ったことは嘘です」と言い出しました。振り返ると、声の主は若い白人女性で、三〇歳くらいの大学院生ふうでした。ほかの聴衆は沈黙し、しばらく教授と女性とのあいだでやり取りが続きました。女性は聴衆のなかで立ったまま早口にしゃべり、壇上の教授は自分の調べた事実を述べながら淡々と応えていました。両者は互いに一歩も譲らず、その「質疑応答」は終わったのです。

私は、女性の剣幕に驚き、両者を代わる代わる眺めました。白人女性の真意が何であったのかはわかりません。無防備な黒人を白人が有無を言わせず一方的に殺すなど、あり得ない、とでも思ったのでしょうか。あるいは、犠牲者の生きる権利を、真っ向から否定して奪うリンチ行為など、信じたくない、という一念だったのかもしれません。

多くのリンチ事件についてここで詳細に話を展開するつもりはないのですが、一九一六年五月にテキサス州ウエイコで起きた大規模なリンチ事件のことを思い出しました。この一連の出来事は、大規模なリンチ事件として、おそらく初めて広く報道されたものです(2)。

LAND, O., SATURDAY, JULY 29, 1916. Cleveland Gazette SINGLE C

THAT WACO LYNCHING

Horrible Doings in Connection with the Texas Lynch-Murder.

Ohio Blessed With an Effective Law Againt Mob Violence.

Considering the kind of weather we are having these days, the N. A. A. C. P. local branch's meeting at St. John's A. M. E. church, Wednesday evening, for Miss Elizabeth Freeman, the suffrage speaker, well known in

statistics show. Speaking of the burning at the stake of the 17 year old boy on the City hall lawn just outside the mayor's main window, the Waco Times-Herald says: "On the way to the scene of the burning, people on

commenced to burn, shouts of delight went up from the thousands of throats and apparently everybody demonstrated in some way their satisfaction". A cowboy who had ridden from the range created a diversion

写真1　ウエイコのリンチ事件報道。1916年5月15日の昼下がり、人が人を、モノを引き裂くごとく殺すリンチの光景を目撃するために集まった群衆（上）と笑顔で眺める見物人たち（下）。出典：Cleveland *Gazette*, 1916年7月29日。

ある日、大学図書館でのことです。一九一〇年代の黒人新聞を見ていた私の目に飛び込んできたのは、紙面に大きく掲げられた衝撃的な写真でした（写真1）。それがウエイコでのリンチ事件報道だったのです。このリンチ事件の発端は、五月八日に綿作農場主の妻ルーシー・フライアという白人女性が殺された事件でした。犯人探しが始まり、その農場で雇われていた一七歳のジェシー・ワシントンという、読み書きのできない黒人男性がレイプと殺人の罪で逮捕され、五月一五日に裁判にかけられました。この裁判の傍聴者は一五〇〇人に上り、裁判所の外にも二〇〇〇人以上が押しかけたそうです。有罪判決が下るや否や、被告は群衆の手で連れ出され、傷つけられ、市庁舎の広場でリンチされました。その模様を広場で目撃した群衆は一万人にもなっていたそうです(3)。

記事を読んでみると、そこで注目されていたのは、人が人として生きる権利の問題ではなく、裁判での詳細なやりとりやジェシー・ワシントンが何者かでもなく、むしろリンチに至る経緯とその光景を喜ぶ群衆の姿でした。

今となっては、ジェシー・ワシントンが真犯人だったのか否かということも、殺されたルーシー・フライアとその家族の事情も、闇の中です。

## ◆博物館での疑似体験

リンチ事件に関するウィリアムソン教授の講演からほぼ四〇年後、二〇一七年一二月九日に開館したミシシッピ州公民権博物館を、私は翌二〇一八年九月九日に訪れました。それは、視覚的に見せるだけではなく音や体感などにも訴えてくる体験型博物館でした。入り口で入場券を買って、展示場内に入った瞬間、その情報量に圧倒されました。人種関係と公民権をめぐる状況を写真やモノや短い解説でつぶさに語る展示がぎっしり詰まっていたのです。その館内には、リンチをテーマにした展示もありました。

それは、紛れもなく、ミシシッピ州でリンチ事件が非常に多く発生していた過去を公然と告発している証しでもありました。

その展示（写真２・写真３）は、黒地の柱の表面に犠牲者の名前が白く浮かび上がるシンプルなものです。死者の氏名を刻む碑には、首都ワシントンのベトナム戦争慰霊碑がありますが、リンチ事件の犠牲者個々人に注目した博物館展示を見るのは、これが初めてでした。

黒地の柱の右手には暴力も辞さず白人優位を維持しようとするクークラックスクラン「ＫＫＫ」の衣装や写真などの展示があり（写真２）、左手にはアフリカ系アメリカ人住民が小作農民として働く姿を写した日常生活を示す

リンチ事件の展示（幾つも並ぶ黒地の柱）　写真２（上）右側にクークラックスクランの展示。写真３（下）左側に黒人小作農民の生活。いずれもミシシッピ州立公民権博物館、2018年９月９日。撮影：著者

展示があります（写真３）。

それらに挟まれて、全体的に暗い館内で、犠牲者殺害の年月と場所とその氏名が一つずつ白く列記された黒地の柱が、視覚に訴える写真もなく、ただ並んでいるのです。それだけです。人名を眺めていると、犠牲となった人びとには、それぞれの人生があったことや、その親族や友人たちのことなど、想いが巡りました。

人名リストをたどって黒地の柱の脇をゆっくり一歩、二歩進むと、いきなり大きな罵声が頭上から降って来ました。驚きで身がすくみました。心の準備もできず、罵声をまともに浴びたからです。それは、見学者が一定の位置に立った瞬間に天井から音が出るように仕組まれた一種の「展示」だったのですが、抵抗も虚しくリンチされる人が数人の「暴徒」に囲まれる瞬間を想起させてくれました。自分を犠牲者と重ねて思いを馳せる疑似体験の瞬間だったのかもしれません。

## ◆一九六〇年代の公民権と日常の恐怖

奴隷制度そのものは、南北戦争後のアメリカ合衆国憲法修正条項第一三条によって法的には廃止されました。ところが、元奴隷とされていた人びととかつての自由黒人を、いずれも「黒人」として社会の劣位に位置付ける法整備が、当時の有力な為政者たち（白人）の手によって、新たに始められました。

その一連の法律は、州法や市条例はもちろん、慣習という形で改めて社会に浸透していきました。これがジムクロウ体制です。

リンチ事件は、そのジムクロウ体制下の「許容範囲」からはみ出したとみなされる「悪者」を、優位者が自分たちの手で成敗するという自警団的支配の表われでもあったようです。

このジムクロウ体制を覆そうとする大小さまざまな動きが、一九世紀末にもあり、それ以降も断続的に続いていました。そうした動きが一九六〇年代になると、公民権を求める運動として世界的に注目を集めるほど激しく闘われました。

ミシシッピ州生まれのホリス・ワトキンズは、ちょうど一九六〇年に一九歳で公民権を求める活動に参加した「黒人」の一人です。まず遭遇したのが、投票権の獲得と行使の活動でした。二〇一三年八月七日、ワトキンズさんは、一九六〇年代の自分たちの活動についてこう語ってくれました。

もう私の心は決まってた。黒人たちのために、この国のために、前向きに変革を生む活動をしようって決めてたんですよ。それには犠牲も仕方ないと思ってた。犠牲なしに変革はできないことを知ってたんですよ。何もしていなくたって、白人たちに殺されるんですよ。それで、とにかく何かをしようと思って始めたんです。車に乗った白人たちに何度も追いかけられたね。白人たちは銃を持ってた。車の後ろの荷台にも銃が置いてあった。その白人たちに捕まっていたら私は殺されていたでしょう。後でわかったことだけど、私たちはマークされてたんだ。クラン［KKK］たちは、私たちの車の種類や型やプレートの番号など全てリストを作ってたんですよ。だから私たちはどこにいても、車でわかってしまう。いつだったか、小型トラックに乗った白人に追跡された。ちょうど幹線道路で、どこにも逃げ場がなかった。その白人は、小型トラックを私の車の横につけて、コンパートメントからピストルを取り出すと、銃口を私の方に向けたんです。こんなふうにして。

［中略］

州立刑務所にも、私は［公民権活動で有罪判決を受けて］五五日のあいだ死刑囚として入れられていました。死刑囚というのは、最も厳重な監視下に置かれながら、電気椅子が待っている状況下にあるんです。電気椅子に連れて行かれるという脅しは毎日受けていたし、厳重警備の監獄というのは幅六フィート［約一・八メートル］、奥行き六フィートなんです。コンクリートの壁に囲まれて、新鮮な空気というのはドアの下の小さな隙間からしか入って来ない。そこに一四人が入れられていたんです。［中略］二酸化炭素中毒で死なずにすんで、幸運でした。

たくさんの経験のなかでどれが一番ひどかったなんて言えませんよ。みんなひどい経験でしたから。

ワトキンズさんは語りながら、そのころのことを思い出していました。銃口を向けた男の車の窓が閉まっていたために、当時の車ではその窓を手動で開けなければ銃弾で窓が壊れます。男は運転し銃を持ちながら瞬時に窓を開けることができなかったから、自分は命拾いをしたとワトキンズさんは言います。刑務所に収容されたときの経験も淡々と語られました。日々威嚇される日常を振り返ってみると、「みんなひどい経験」だったのです。一九六〇年代前半の活動の日々の思いを、ワトキンズさんとほぼ同年齢で今は亡きアン・ムーディは、次のように自伝に綴っています。

私は座り込みに参加する前に、母さんに手紙を書いた。母さんからは、座り込みに参加しないように懇願する手紙が届いていた。〔中略〕その手紙を読んで私は腹が立った。私は自分が生きたいように生きなければならなかった。母さんのところを出たときにそう決心していた。しかし、自分の家族が私のせいで怖い思いをしていると知らされるたびに、私の心は痛んだ。ほかの何よりもそのことで私の心は痛んだ――きっと白人たちは母さんたちへの脅迫や威嚇を始めていることだろう。私は同郷の人間としては、公衆の面前で抗議行動に加わりNAACPと活動を共にした最初のニグロだった。ニグロが〔生まれ故郷〕センターヴィルで何かしようとすれば、サミュエル・オクインのように殺されるか、デュブリー師のように町から追い出されたのだ。(4)

ムーディの心は、活動を担う自分の思いと、故郷センターヴィルで恐怖と不安に苛まれながら生活している家族への思いで揺れていました。

そのうえ、自分の名と顔写真がクークラックスクランの攻撃対象としてチラシに掲げられていると知ったのです。そのときのことを、こう書いています。

そのブラックリストに載っていた人たちの大半はすでに州外にいた。メドガーは殺されていた。ジェイムズ・メレディスとジョーン・トゥランパウァとジョン・ソールターは〔身の危険を感じて〕州からいなくいなっていた。〔中略〕大半の人々は日常の恐怖は気にしていないが、そのこととクラン〔KKK〕のブラックリストに載るというのは別だった。〔中略〕怖かった。〔ムーディらの活動拠点〕キャントンで私を睨みつけたあの警官のことがもっと気になりだした。チラシはどのくらい前から出ていたのだろうか。その週末はずっとそのことばかりを考えていた。(5)

このころムーディは、「睡眠不足と不安」の日々を過ごしながら、「人々が苦しみ、着る服もなく、食べる物もなく飢えているのを見るのは、もううんざりだった。この状態には終わりがないように思われた」と、恐れと疲労に追い詰められた自身の思いの一端を吐露しています。(6)

### ◆一九六〇年代から今日まで――ホリス・ワトキンズの公民権活動

確かに、加害者が誰かもわからず逮捕者も出ないようなリンチ事件が横行する時代は、過ぎ去りました。アン・ムーディやワトキンズさんたちの活動もあって、時代は変わりました。それでも、今を生きる私たちの社会にはまだ問題が残っているでしょう。一九六〇年から現在まで公民権を求める活動を続けてきたワトキンズさんの思いに耳を傾けてみたいと思います。二〇一三年八月七日、当時七二歳のワトキンズさん（ＨＷ）は、私（ＨＨ）とのインタビューの最後に次のように語りました。

ＨＨ――一九六八年はマーティン・ルーサー・キング（ジュニア）とロバート・ケネディが暗殺された年でした。ミシシッピ州で公民権の活動をしていた人びと、とりわけボランティアには州を去った人が多かったですね。

ＨＷ――一九六八年ころ、地元の人たちの中にもミシシッピ州を去って行った人たちがいる。州に残っていても、活動を止《や》めた人たちもいるしね。活動を支援してくれる組織がなくなったからなんです。一人でも、数人でも活動するのは難しかったからね。

私は一人だった。ちょうど［就学前の児童を対象にした教育・福祉のための］ヘッドスタート事業が持ち込まれた。［ジョンソン政権下の連邦政府による］「貧困への闘い」の一環でね。だから、私はどうにかこうにかしてヘッドスタートの事業にかかわったり、自分で小銭を稼いだり、公民権の仕事をしたりっていう毎日だった。ときには、父や年上の従兄が教えてくれた技、家を建てる技、大工ですね。そうやって、小銭を稼いだ。誰かが大工仕事のできる人を捜していると、それをしたりしてね。ほかにもいろいろしましたよ。そのうち、配達事業をするようになった。卵と野菜の配達ですよ。そうやって稼いだんです。農家から卵や野菜を入手して、それを小売りするルートを作ったりもしたんです。小銭だったけどね。それから不動産を取り扱う許可証を手に入れた。そうやっていろんなことをして生活して、公民権の活動を細々と続けたんですよ。

と言っても、「公民権」というのは私たちが考えた用語じゃないですよ。私たちは「人権」という用語を使いたかった。そのほうが幅広く活動できたし、国際司法裁判所にも訴えることができるからね。そんなことを私たちが議論しているうちに、メディアが「公民権運動」という用語を使って普及させたんだ。それが一般化してるわけですよ。

ホリス・ワトキンズ。　写真４（上）：インタビューの直後。トゥガルー大学構内のミシシッピ州公民権運動ヴェテランズ協会のオフィスの前で。2013 年８月。撮影：著者。　写真５（左ページ）：ゼミ生たちと訪れたトゥガルー大学キャンパスで。2017 年３月。撮影：同行したゼミ生。

HH―― それはそうでしょうけど、ある意味で「公民権」と「人権」は同じじゃないですかね。一般的に「公民権」というのは、コスモポリタン的な意味での人間社会のなかで人と人との関係性において「人」として対等であるための諸権利を意味すると私は思います。だから、その諸権利には、法律だけでなく、医療や衛生や貧困や福祉の問題も含まれるはずですよね。

HW―― だけど、そう考える人は少ない（笑い）。私たちはそう思ってるけどね。経済力をもつ者、もたない者が存在するのと同じように、支配力をもつ者ともたない者が存在して、それらをもつ者たちが自身の権力を維持するために決める。支配力をもつ者たちが、公民権や人権を誰もがもつべきだっていう具合に、公平

に考えることをせずに、最終的な決断を下す。その結果、支配する力をもっていると思っている者が、まあ白人だけどね、私たちを〔自分たちと対等な〕「人」として受け入れてこなかった。だから、その連中は、私たちが国際司法裁判所に訴えて、その裁判所が連中を裁く、なんて事態が起きないようにしたがってる。あの連中は、自分たちが世界の支配者で世界の統治権をもつのは自分たちだ、って考えてるんですよ。

その後もワトキンズさんとは毎年、コロナ禍に見舞われる年までミシシッピ州を訪れるたびに会って話す機会がありました。人間社会で人が人として生きる権利を求める公民権の問題は、もはや一地域や一国家に限られた問題じゃない。道のりはまだまだ遠い。そう言われているような気がしました。

# 統計表からの透視——ロンドンの一六六五年ペスト大流行の場合

永島　剛

## ◆ロンドン死亡週表

一六六五年のロンドンにおけるペスト大流行は、歴史上比較的よく知られた疫病といえるでしょう。イギリスでは最後の大流行となったこと、そして『ロビンソン・クルーソー』の作者として有名なダニエル・デフォーが一七二二年に『ペスト流行年誌』というドキュメンタリーを著わしていることも、この大流行がよく知られている理由です[1]。

このペスト流行で、翌一六六六年までにロンドンの人口の少なくとも六分の一が死亡したのではないかといわれています。なぜ具体的な死亡割合が出せるのかといえば、ロンドンではペストによる死者数を報じる「死亡表」(Bills of Mortality)とよばれる週報が発行されていたからです[2]。

画像1が、一六六五年八月二二日から二九日の週の死亡表です。ロンドン中心部シティ内とその周辺の教区(イングランド国教会に属する教会の管区。基礎的な行政単位となっていた)ごとに、埋葬(死者)の総数と、そのうちペストで亡くなった人の数が記載されています。

たとえば左上のセントオーバン・ウッドストリート(St Alban Woodstreet)教区については、埋葬者(Buried)一六人のうちペスト(Plague)で亡くなったのは一二人と記録されています。こうしてこのシートに教区ごとに記載されている数を合計すると、ロンドンにおける埋葬数は七四九六、うちペスト死者数は六一〇二となります。つまりこの週の死者の約八〇パーセントはペスト流行による被害だったことになります。

London 36 From the 22 of August to the 29. 1665

| | Bur. | Plag. | | Bur. | Plag. | | Bur. | Plag. |
|---|---|---|---|---|---|---|---|---|
| St Alban Woodstreet | 16 | 12 | St George Botolphlane | | | St Martin Ludgate | 9 | 6 |
| Alhallows Barking | 25 | 21 | St Gregory by St Pauls | 32 | 25 | St Martin Orgars | 10 | 9 |
| Alhallows Breadstreet | 2 | | St Hellen | 7 | 6 | St Martin Outwitch | 5 | 4 |
| Alhallows Great | 21 | 10 | St James Dukes place | 9 | 6 | St Martin Vintrey | 23 | 22 |
| Alhallows Honylane | 1 | 1 | St James Garlickhithe | 6 | 4 | St Matthew Fridaystreet | 1 | 1 |
| Alhallows Lesse | 11 | 9 | St John Baptist | 6 | 5 | St Maudlin Milkstreet | 8 | 7 |
| Alhallows Lumbardstreet | 8 | 7 | St John Evangelist | | | St Maudlin Oldfishstreet | 6 | 5 |
| Alhallows Staining | 7 | 5 | St John Zachary | 1 | 1 | St Michael Bassishaw | 19 | 18 |
| Alhallows the Wall | 44 | 40 | St Katharine Coleman | 9 | 5 | St Michael Cornhil | 3 | 1 |
| St Alphage | 38 | 32 | St Katharine Crechurch | 8 | 5 | St Michael Crookedlane | 6 | 3 |
| St Andrew Hubbard | 1 | | St Lawrence Jewry | 12 | 8 | St Michael Queenhithe | 18 | 11 |
| St Andrew Undershaft | 18 | 14 | St Lawrence Pountney | 18 | 9 | St Michael Quern | | |
| St Andrew Wardrobe | 35 | 29 | St Leonard Eastcheap | | | St Michael Royal | 14 | 11 |
| St Ann Aldersgate | 21 | 13 | St Leonard Fosterlane | 34 | 30 | St Michael Woodstreet | 8 | 6 |
| St Ann Blackfryers | 41 | 31 | St Magnus Parish | 4 | 4 | St Mildred Breadstreet | 2 | 2 |
| St Antholins Parish | 4 | 2 | St Margaret Lothbury | 1 | | St Mildred Poultrey | 4 | 4 |
| St Austins Parish | 3 | 3 | St Margaret Moses | 3 | 3 | St Nicholas Acons | 1 | 1 |
| St Bartholomew Exchange | 4 | 3 | St Margaret Newfishstreet | 2 | 1 | St Nicholas Coleabby | 5 | 3 |
| St Bennet Fynck | 2 | 2 | St Margaret Pattons | 1 | | St Nicholas Olaves | 6 | 6 |
| St Bennet Gracechurch | 1 | 1 | St Mary Abchurch | 5 | 4 | St Olave Hartstreet | 9 | 6 |
| St Bennet Paulswharf | 41 | 29 | St Mary Aldermanbury | 11 | 7 | St Olave Jewry | 8 | 4 |
| St Bennet Sherehog | | | St Mary Aldermary | 8 | 6 | St Olave Silverstreet | 23 | 17 |
| St Botolph Billingsgate | 2 | 2 | St Mary le Bow | 6 | 4 | St Pancras Soperlane | 2 | 2 |
| Christs Church | 43 | 37 | St Mary Bothaw | 5 | 5 | St Peter Cheap | 1 | |
| St Christophers | | | St Mary Colechurch | 1 | | St Peter Cornhil | 4 | 1 |
| St Clement Eastcheap | 1 | 1 | St Mary Hill | 2 | 1 | St Peter Paulswharf | 10 | 7 |
| St Dionis Backchurch | 3 | 2 | St Mary Mounthaw | 5 | 3 | St Peter Poor | 1 | 1 |
| St Dunstan East | 9 | 5 | St Mary Sommerset | 22 | 18 | St Steven Colemanstreet | 36 | 29 |
| St Edmund Lumbardstr. | 2 | 1 | St Mary Stayning | 5 | 4 | St Steven Walbrook | 1 | |
| St Ethelborough | 23 | 18 | St Mary Woolchurch | 1 | | St Swithin | 4 | 2 |
| St Faith | 1 | | St Mary Woolnoth | 2 | 1 | St Thomas Apostle | 12 | 10 |
| St Foster | 14 | 13 | St Martin Iremongerlane | 2 | | Trinity Parish | 4 | 3 |
| St Gabriel Fenchurch | | | | | | | | |

*Christned in the 97 Parishes within the Walls* — 29 *Buried* — 933 *Plague* — 700

| | | | | | | | | |
|---|---|---|---|---|---|---|---|---|
| St Andrew Holborn | 399 | 380 | St Botolph Aldgate | 374 | 346 | Saviours Southwark | 319 | 261 |
| St Bartholomew Great | 72 | 65 | St Botolph Bishopsgate | 316 | 280 | S. Sepulchres Parish | 447 | 336 |
| St Bartholomew Lesse | 12 | 8 | St Dunstan West | 53 | 42 | St Thomas Southwark | 27 | 22 |
| St Bridget | 181 | 152 | St George Southwark | 147 | 120 | Trinity Minories | 5 | 4 |
| Bridewel Precinct | 12 | 9 | St Giles Cripplegate | 842 | 605 | At the Pesthouse | 9 | 9 |
| St Botolph Aldersgate | 91 | 80 | St Olave Southwark | 321 | 209 | | | |

*Christned in the 16 Parishes without the Walls* — 61 *Buried, and at the Pesthouse* — 3627 *Plague* — 2928

| | | | | | | | | |
|---|---|---|---|---|---|---|---|---|
| St Giles in the fields | 170 | 146 | Lambeth Parish | 25 | 17 | St Mary Islington | 69 | 66 |
| Hackney Parish | 10 | 7 | St Leonard Shoreditch | 280 | 238 | St Mary Whitechappel | 496 | 462 |
| St James Clerkenwel | 142 | 122 | St Magdalen Bermondsey | 108 | 78 | Rotherith Parish | 7 | 6 |
| St Kath. near the Tower | 87 | 71 | St Mary Newington | 121 | 104 | Stepney Parish | 530 | 442 |

*Christned in the 12 out Parishes in Middlesex and Surry* — 58 *Buried* — 2045 *Plague* — 1759

| | | | | | | | | |
|---|---|---|---|---|---|---|---|---|
| St Clement Danes | 110 | 82 | St Martin in the fields | 387 | 287 | St Margaret Westminster | 345 | 309 |
| St Paul Covent Garden | 24 | 21 | St Mary Savoy | 25 | 16 | *whereof at the* Pesthouse | | 8 |

*Christned in the 5 Parishes in the City and Liberties of Westminster* — 21 *Buried* — 891 *Plague* — 715

画像１　ロンドン死亡週報（1665 年 8 月 22 〜 29 日）おもて面・教区別埋葬数

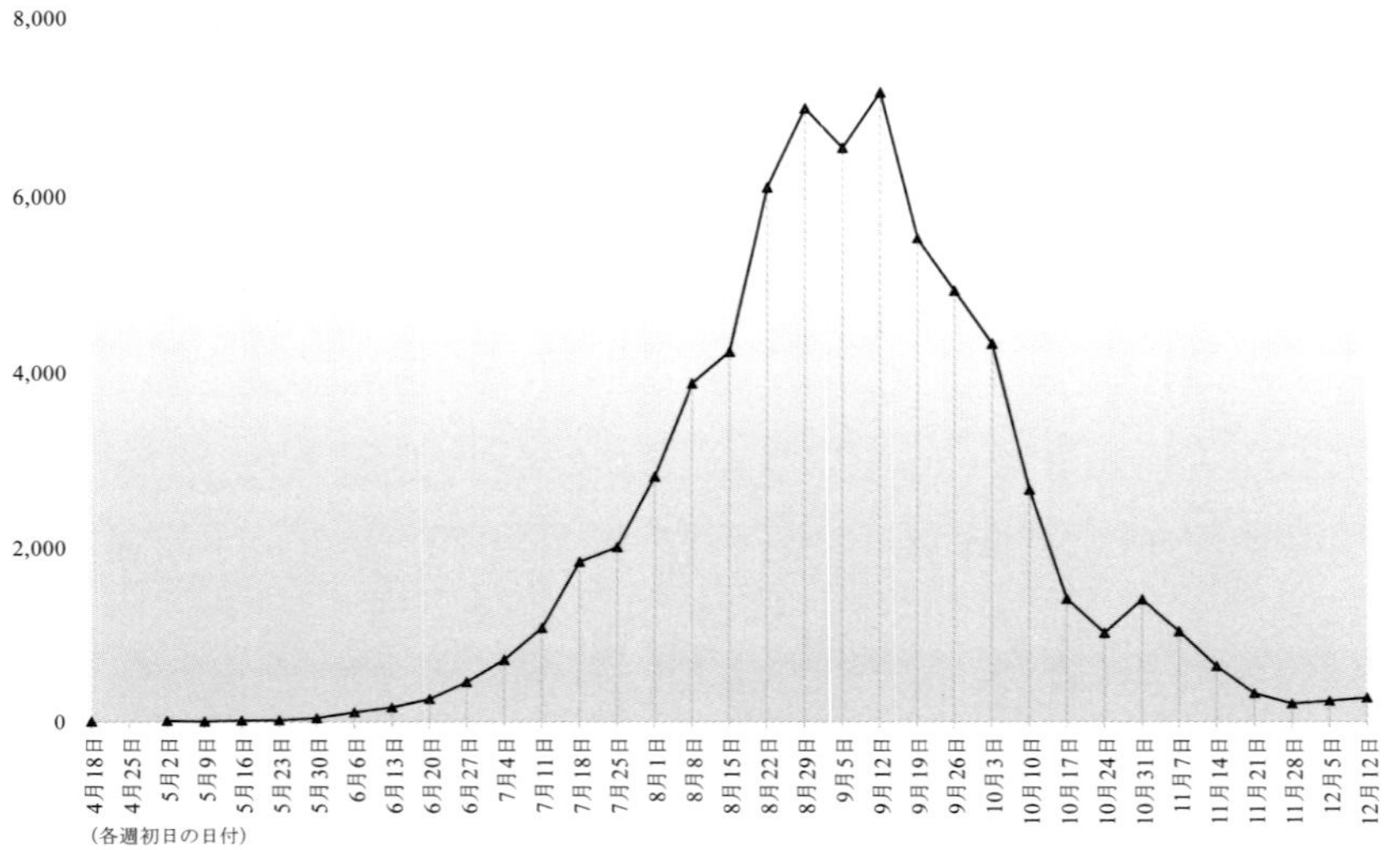


図1　ロンドン死亡週報によるペスト埋葬者数（1665年4月18日〜12月19日）

一六六五年におけるロンドン死亡週表のペスト死者数の推移をグラフにしたものが図1です。五月初旬から連続的に発生するようになりました。夏にかけて急激に増加し、九月一二日に始まる週が、そのピーク（七一六五）でした。その後、秋から冬にかけて急減しています。こうして記録されたペスト死者数の一六六五年中の合計は、六万八〇〇〇を超えています。

画像2は、画像1と同じ八月二二日から始まる週の死亡週表の裏面です。ロンドン全体の埋葬者数が死因別に整理されています。Plague（ペスト）の六一〇二が断突に多く、それにFeaver（熱病。多くは急性感染症か）の三八三、Spotted Feaver（発疹チフスか）の一六五などが続いています。

こうした死亡週表は、各教区の書記（parish clerks）からあがってきた情報を、「ロンドン教区書記組合（Company of Parish Clerks）」という同業者ギルドで集計して、ロンドン市長（Lord Mayor）公認のもと出版されていました。一七世紀にこのように系統的な死亡表が作成され、しかも一般の人びとにも頒布されていたことは当時としては

The Diseases and Casualties this Week.

| | |
|---|---|
| Abortive | 6 |
| Aged | 52 |
| Bleeding | 1 |
| Cancer | 2 |
| Childbed | 40 |
| Chrisomes | 19 |
| Collick | 1 |
| Consumption | 145 |
| Convulsion | 93 |
| Dropsie | 34 |
| Feaver | 383 |
| Flox and Small-pox | 5 |
| Flux | 1 |
| Gangrene | 1 |
| Gowt | 1 |
| Grief | 4 |
| Griping in the Guts | 65 |
| Jaundies | 4 |
| Imposthume | 13 |
| Infants | 17 |
| Killed by a fall from a horse at Alhallowes Lumberstreet | 1 |
| Kingsevil | 3 |
| Meagrome | 1 |
| Plague | 6102 |
| Planner | 3 |
| Purples | 3 |
| Quinsie | 2 |
| Rickets | 23 |
| Rising of the Lights | 18 |
| Scowring | 3 |
| Scurvy | 3 |
| Spotted Feaver | 165 |
| Stilborn | 10 |
| Stone | 1 |
| Stopping of the stomach | 7 |
| Strangury | 1 |
| Suddenly | 2 |
| Surfeit | 99 |
| Teeth | 133 |
| Thrush | 3 |
| Timpany | 1 |
| Tissick | 3 |
| Ulcer | 4 |
| Winde | 4 |
| Wormes | 23 |

Christned { Males 87, Females 82, In all 169 }
Buried { Males 3811, Females 3685, In all 7496 } Plague 6102

Increased in the Burials this Week — 1928
Parishes clear of the Plague — 17 Parishes Infected — 113

The Assize of Bread set forth by Order of the Lord Maior and Court of Aldermen,
A penny Wheaten Loaf to contain Nine Ounces and a half, and three half-penny White Loaves the like weight.

画像2　ロンドン死亡週報（1665年8月22～29日）裏面・死因別埋葬数

めずらしく、貴重な史料といえます。[3]

## ◆死亡週表の数値データ

教区別の埋葬数データを使えば、たとえばロンドンのどの辺りでペスト流行がもっとも深刻だったかを調べることができます。一六六五年流行時においては、ペスト死者数はロンドンのシティ中心部よりも、周縁部の教区で多く記録される傾向にありました。当時、経済的に繁栄していたロンドンには、生活の糧をもとめて、国内各地から多くの貧しい人びとが集まってきていました。そうした貧しい人びとが多く滞留していたのが、周縁部の教区だったのです。[4] 粗末な家屋に多くの人びとが集住するような環境が、ペストの伝播を助長した可能性が考えられます。

また死因別の埋葬数によって、当時の疾病構造を垣間見ることができます。一六六五年に関してはペストが圧倒的ですが、それ以外でも感染症とみられる死因が比較的多くみられます。上述したFeaver（今日の綴りはFever）やSpotted Feaverのほか、Consumption（消耗性疾患・肺結核などが含まれると思われる）やFlox and Small-pox（天然痘）なども感染症と考えられます。

ただし、今日のわれわれの視点からはやや奇異にみえる死因もいくつかあります。たとえばTeeth（歯）という項目は、画像2では一二三となっていますが、それほど多くの人が歯痛で亡くなったのでしょうか。同時代の政治算術家ジョン・グラントの説明を参考にすると、じつはこの項目は、歯の疾患とはあまり関係ありません。今でも英語で

teethingといえば乳歯が生えることをさしますが、この死亡週表では、乳歯が生えてくる頃の年齢で亡くなった子どもたちの数が、このTeethという項目に計上されていたようです。つまりInfant（乳児）やAged（老齢）などと同様に、死因というより、死亡年齢による分類項目だったということになります。この項目の数値の大きさは、当時の子どもたちの生存条件が今日にくらべて厳しいものだったことを示しているといえそうです。(5)

現代の死因分類とは異なるこうした項目設定は、それ自体、当時の人びとの医や病気への認識を考える上で興味深いものです。しかし同時に、現代医学の病名を使って、当時の疾病の状況を理解することを困難にしているものでもあります。

そもそも死亡週表における死因の診断は、誰が行なっていたのでしょうか。現代では、これは医師の仕事です。近世のロンドンにも、内科医《フィジシャン》、外科医《サージョン》、あるいは薬種医《アポセカリ》といった、専門教育や徒弟修業を受け、「正統」を自認する医者たちがいましたが、(6)この死亡週表における死因認定には直接には関わっていませんでした。

じつは埋葬者の死因の判断は、各教区によって雇われた素人の（医師ではない）調査員《サーチャー》たちによって行なわれていました。その多くは年配の女性たちで、埋葬前に遺体を検分して、周囲の人びとの話もききながら死因を判定し、それを教区事務員に報告していたといいます。

細菌やウイルスといった病原体の存在が知られていなかった当時、正規の医師であっても今日のように死因の特定ができたわけではないでしょう。それを、おそらく経験・知識にはばらつきのあった非医師の調査員たちが、遺体を見ただけで行なっていたわけですから、今日的観点からみた「正確さ」には、かなり疑わしいものがあります。したがってペストによる死亡と報告された数も、発生状況を正確に反映しているとは限らないわけです。

数値の「正確さ」を疑う理由は他にもあります。死亡週表は基本的に、イングランド国教会の墓地に埋葬された人びとの数なので、カトリック教徒や他のプロテスタントなど非国教徒にまで調査が及んでいない可能性があります。

また、『ペスト流行年誌』の中でデフォーが言及している理由もあります。流行襲来の恐怖と混乱のなかで、埋葬される遺体の数をすべて記録に残す暇はなかったし、教区の役人にも被害者や逃避者が多発していたというのです。つまり、特に大流行時の死亡週表におけるペスト死者数は、過少計上の可能性が高いというわけです。

## ◆死亡週表を作成していた人びと

もしペスト被害者の数を正確に知ることだけが目的なのであれば、史料としての死亡週表には頼りない面があります。しかし、統計数値の「正確さ」を超えて、われわれの想像力を掻き立てる史料でもあるように思います。

死亡週表に記載されているのは合計された数値ですが、病人の苦しみ、それを見守る人びとの悲しみなど、計上された個々の埋葬者全員に、さまざまなストーリーがあったはずです。感染者やその家族への忌避感や差別など、きれいごとでは済まないことも多々あったことが想像されます。

そして、死亡週表の作り手たちにも想像は広がります。デフォーが書いているように、作成に関わっていた人びとの中にも、ペスト被害者やロンドンを逃れた人はいたことでしょう。あるいは家族や友人などを失った人もいたかもしれません。しかし、死亡週表自体は形式を維持したまま毎週の発行が続いています。つまり、大流行の非常時にあっても、地元に残り、情報を集め、集計し、印刷する作業に従事する人びとがいたということです。

もちろん発行作業に携わり続けた人びとそれぞれが、どのような状況のもと、いかなる思いを抱いていたのか、死亡週表からわかるわけではありません。さしあたりそこは想像するだけです。しかし史料から直接的にわかることだけでなく、いろいろ思いを馳せてみることも、「歴史との対話」の大切な要素であるように思います。

一六六五年ペスト流行の場合、幸いなことに、デフォーがわれわれの想像を助けてくれます。この流行発生当時、デフォーはロンドンに住んでいましたが、まだ幼児であり、家族とともに地方へ疎開しました。したがって『ペスト流行年誌』は彼自身の目撃や記憶によるのではなく、後年の取材をもとにしたドキュメンタリーです。死亡週表の数値も随所に引用されていますが、数値からだけでは見えない部分を、目撃・経験談を集めたり、彼自身の想像力を発揮したりしながら補いつつ、流行時の社会の様相を再構成したものといえるでしょう。

デフォーの家族がそうであったように、流行が顕在化すると、多くの人びとが感染を避けるためにロンドンを離れました。しかしそれができたのは、旅費を用意できる人、当座の収入が途絶えても生活を維持できる蓄えのある人、地方にも拠点をもっていたり、頼るべき親戚や知人がいたりした人などで、その多くは比較的裕福な人びとでした。

死亡週表の発行に関わっていた人びとのうち、教区の役員や上級職員は経済的には比較的安定していたと考えられます。それでも、ロンドンで任務を続けた人びとがいたわけです。使命感からロンドンに残った人もいたでしょう。あるいは逡巡するうちに疎開のタイミングを逃した人もいたかもしれません。

一六六五年六月のロンドン市長・参事会からの布告をみると、死者の急増に対応するため、各教区において、死因を調べる女性調査員を増員すべき旨が記されています。彼女たちは副業が禁止され、任務不履行の際には罰則が与えられることになっていました。ペスト患者の遺体に近づく仕事ですから、当時は感染リスクが高いと思われていました。貧しく、どこかに逃げるあてのない年配の女性たちが多く採用されていたと考えられます。

大流行時の死亡週表のペスト死者数は、たしかに過少計上だったのかもしれません。しかし誰がその数をカウントしていたのかにまで思いを馳せてみると、その過少計上自体もまた、大流行時の社会の様相を伝えるものである気がしてくるのです。

## ◆死亡週表を見ていた人びと

そもそも死亡週表は、大流行の最中にあっても、なぜ発行され続けたのでしょう。一言でいえば、需要があったから、ということになるのかと思います。

まず市や各教区など、公的な防疫対策を担う行政当局者にとって、どこでどれくらい流行が深刻であるかを把握することは、基本的なことだったでしょう。そしてそれは、一般の住民たちにとっても同じことだったのではないでしょうか。

感染を避けるためにできるだけ外出しないとか、そのために当座の食料を買い込んでおくとか、あるいは、そろそろ避難を考えたほうがよいかとか。個人レベルで可能な感染回避方法を判断する際にも、死亡週表は重要な情報源だったことが想像されます。だからこそ、ペスト埋葬者の数をカウントし、単に役所内で記録をとるだけでなく、それが一般向けに印刷・頒布されていたわけです。この死亡週表の頒布は一六〇三年から行なわれており、一六六五年当時には、ペスト流行時に参照すべきメディアとして、識字能力のある市民層にはよく知られた存在だったと推察されます。

そうした当時のロンドンの住人の一人に、サミュエル・ピープスという人物がいます。一六六五年当時は三二歳で、海軍の書記官として出世の途上にありました。彼は、プライベートなこと、仕事関係、世間のことなど、さまざまなことを書いた日記（一六六〇年から六九年まで）を遺しているのですが、一六六五年の日記では、ペストや死亡週表についてたびたび言及しています(7)。

ピープスがこの年最初にペスト流行への懸念に言及したのは四月三〇日でした。五月二四日には、患者発生状況と対策について、知人とコーヒーハウスで話し込んだことを書き留めています。そして六月一五日には、前週の死亡週表のペスト埋葬数（一一二）を具体的に引用しています。以後、数値はたびたび引用されるようになり、ピープスが死亡週表を毎週チェックしていたことを伺わせます。

彼が死亡週表を引用し始めた六月中旬は、ロンドン全体でのペスト埋葬者が目に見えて増え始めた時期でした（図1）。ピープスの住むロンドン中心部のシティの各教区でも患者が増え始めており、六月二二日に彼は自分の母親を地方に避難させています。

さらに七月五日には、妻をウーリッジに疎開させました。当時イギリスはオランダと交戦中（第二次英蘭戦争）であり、海軍省文官であるピープス自身はロンドンに残りました。ただしウーリッジはロンドンから南東方向の近郊にあり、とくにテムズ川水運を利用すればそれほど遠いところでありません。八月になると海軍省本部自体がウーリッジに近いグリニッジに移されたこともあり、ピープスは妻のもとをたびたび訪れていたようです（ただし妻の不在中にロンドンで浮気していたことも、やはり日記からわかります）。

八月一一日の日記には、妻と父宛の遺言書を一日かけて作成したことが書かれています。八月になっても、相変わらず仕事に享楽にと日々忙しくロンドンとその周辺を動き回っていた様子ですが、死と隣り合わせであることを覚悟していたとみてよいでしょうか。

八月三〇日、セントオリヴ・ハートストリート教区（St Olive Hartstreet）の書記とかわしたという立ち話の内容は、死亡週表の数値に関わるものでした。ピープスがペストの発生状況を尋ねたところ、「今週九人死んだんだが、報告は六人にだけにしておいた」と書記が答えたというのです。たしかに、八月二二日から二九日の週の死亡週表（画像1）における同教区の数字をみてみると、埋葬者九人のうちペスト死者六人と記録されています。

書記がなぜそのような報告をしたのかまでは書かれていないのですが、ピープスは、実際のペスト死者数は死亡週表の数字よりも多い可能性を指摘しています。

前週に死亡週表上のペスト死者数が七一六五にのぼったことを受けて、九月二〇日、テムズ川から舟の往来が消え、そして通りにはあわれな病人以外、人の姿が見えないとして、嘆いています。その後、死亡数は減少に転じましたが、また増えるかもしれないという懸念とともに、ピープスによる死亡週表の数値の引用は続きました。実際に一〇月三一日からの週には一旦増加しています。

一一月三〇日、前週のペスト死者数が三三三まで下がったことを受け、もう大丈夫だろうということで、ピープスは妻をウーリッジからロンドンに戻すと決めたことを日記に書き留めています。やはり死亡週表の数値が判断の決め手となったようです。

## ◆過去と現在の交差

いまこの原稿を書いているのは、二〇二三年の三月です。二〇二〇年三月一一日、新型コロナウイルス感染症（Covid-19）のパンデミック化を世界保健機関（ＷＨＯ）が宣言してからちょうど三年たちました。コロナ感染症はわれわれの日常にいろいろな影響を及ぼしましたが、報道される感染者数・死者数を日々気にするようになったこともその一つです。

発表される数値には難点があることも指摘されるようになりました。すべての感染者（軽症・無症状者を含む）が検査（ＰＣＲ検査など）を受けるわけではないし、検査精度の問題もあるため、感染報告数に感染者全員が計上されているわけではありません。死亡者数についても、コロナ感染によって持病が悪化したり他の疾患を併発して亡くなった場合、コロナを死因とするか否かについても、届出のされ方はまちまちであるようです。

このようにいろいろ問題があるので、公表される数を気にすることに意味はないとする向きもあります。しかし公的な感染症対策や、あるいは個人レベルでどう感染症に対処するかを考えるため、まずは流行状況を把握しようとする際、やはり感染者数や死者数という数値に頼ることになるのではないかとも思います。要は数値が記録・公表されるプロセスに注意を払い、その問題点や限界をふまえつつ参照することが肝要ではないかということを、あらためて考えさせられました。

今回、そうしたことを歴史の中でも考えてみたくて、ロンドン死亡週表に注目しました。もちろん一七世紀と現代とでは時代状況が大きく違いますし、ペストとコロナウイルス感染症の流行様態も異なります。しかしそれでも「コロナ禍」の経験は、一六六五年当時のロンドンの人びとや社会の様子を考える際、やはり「気づき」を与えてくれるようです。私の場合、死亡週表の統計に掲載された数値を見つめながら、それが誰によってどのようにカウントされた数値だったのか、その数値を当時の人びとがどのように受け取っていたのかなどが、あらためて気になったというわけです。そしてデフォーやピープスらの記述の力を借りながら一七世紀ロンドンに思いを馳せつつも、念頭にしばしば去来したのは、やはりわれわれ自身の「コロナ禍」のことでした。

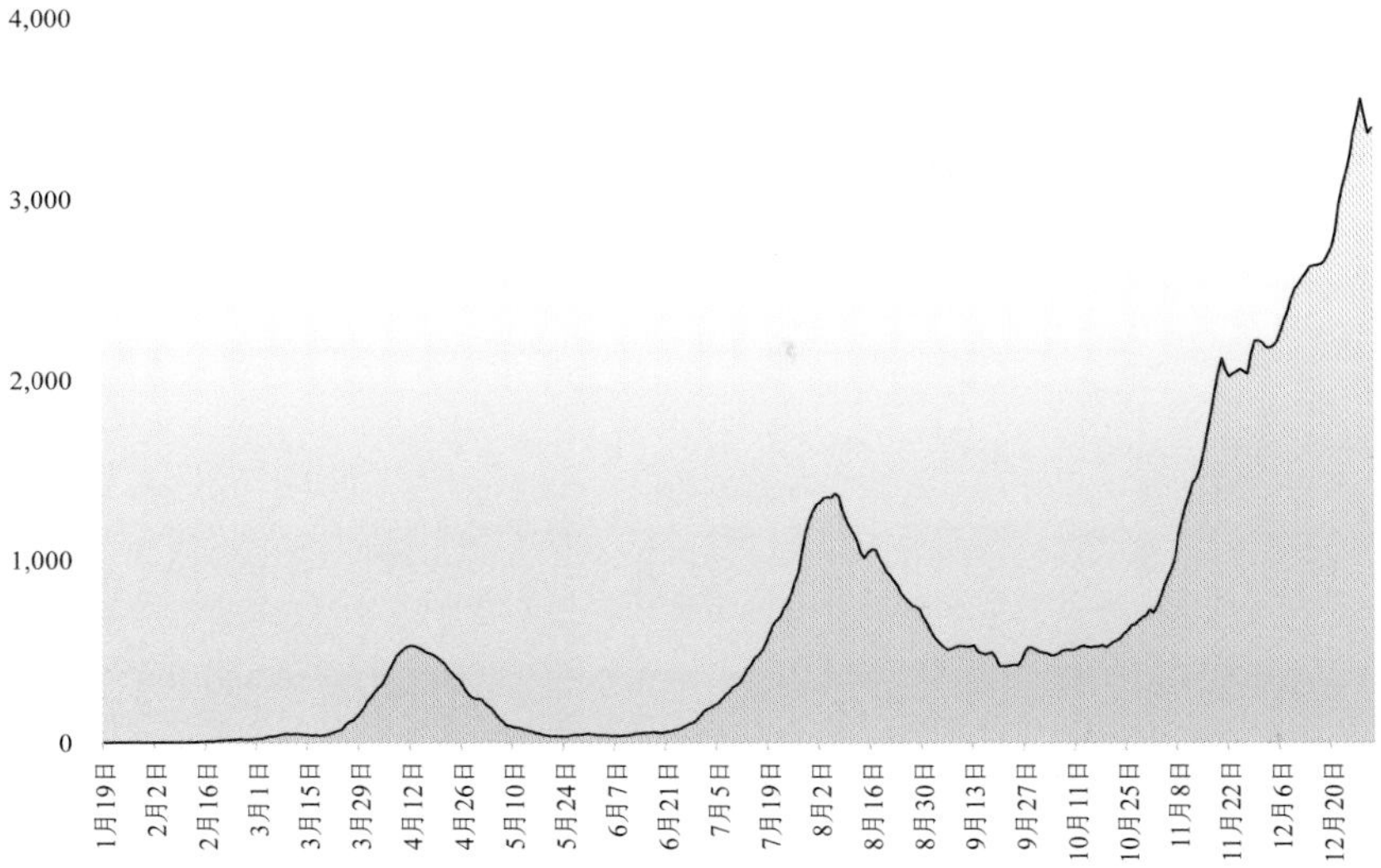


図２　日本全国 新型コロナウイルス感染症
１日当たりの新規感染者数（７日移動平均　2020 年）
出典：厚生労働省ホームページ「データからわかるー新型コロナウイルス感染症情報ー」から作成。

翻ってみると、パンデミック化から三年が過ぎた今、当初ほど感染者・死者の数を気にしなくなっています。図2に、流行の最初の年である二〇二〇年の日本における新型コロナウイルス感染症の新規感染者報告数の推移をあげてみました。流行第一波から第三波の途中までが見てとれます。感染者の増加と収束を繰り返したこの間、何が起き、われわれは何を考えながら行動していたでしょうか。一六六五年ロンドン死亡週表の数値を追う作業は、この頃のわれわれ自身を思い返すことでもありました。

ちなみに二〇二〇年末の一二月二一日から二七日までの一週間（月曜から日曜）の新規感染者数の一日平均は、約三二五八でした。そして直近の二〇二三年三月一三日から一九日の一週間（月曜から日曜）の平均は七二一八です。数の上では倍以上ですが、私を含めて多くの人が、感染症に関して二〇二〇年当時ほどの切迫感を現在は抱いていません。このことからも、統計数値の表面上の多寡だけではわからないことが多いことを実感します。しかしその一方、統計があるからこそ、それを手がかりに、いろいろ記憶を手繰りつつ考えることができるのではないかとも思っています。

# あとがき

## ◆実験的歴史エッセイ集として

本書の執筆者は歴史研究者ではあるが、本書はいわゆる論文集ではない。したがって、テーマ上の統一のうえに、共有された論旨を提示する書ではないし、最初から順番に読み進むにしたがって歴史解釈が積み重ねられていく書でもない。

本書は歴史書ではあるものの、むしろ、執筆者がそれぞれの歴史世界を展開しようと試みた実験的エッセイ集である。

したがって、読み手にはどの章からどの順番で読み始めてもらってもよいように、章はランダムに並んでいるだけである。一見類似したように見えるテーマごとに複数の章をグループ分けして目次を組むことも考えてはみたものの、テーマで区切ることによって読み手の発想をテーマの枠内にむやみに制限してしまいそうに思われた。読む順番まで読み手任せにするとは、無責任な本だとお叱りを受けるかもしれないが、私たち執筆者は、読み手の「読む」主体性を尊重し、章ごとの歴史世界を自由に堪能していただきたいと思った。

読み手は、歴史好きの人かもしれない。通勤途中の会社員かもしれないし、自宅で寛《くつろ》ぐ退職者かもしれない。あるいは、大学生かもしれない。ひょっとしたら「歴史総合」科目を担当する高校の先生かもしれないし、その教室で受講する高校生かもしれない。読み手の関心も、本書を手に取ることになった背景も、日常生活における感性のありようも、みなそれぞれ異なる。そうした多様な読者を想定するからこそ、読み手に主体的に読んでいただくためには、執筆者側もそれぞれの歴史世界を提示することに修練するよう努めたいと考えた。

では、どのようにして本書ができてきたのか、そのプロセスを以下に簡単に紹介する。

## ◆プロジェクトの始まり

二〇二一年の秋、とりまとめ役となる編者が一〇人ほどの歴史研究者に声掛けを始めた。そのとき念頭にあったのは、前回のプロジェクト（『歴史のなかの人びと——出会い・喚起・共感』、二〇二〇年）からの刷新を目指したいという思いだった。

おりしも、その年の夏に樋口は、兼子・佐原・小滝の三氏と共に、日は異なったものの、それぞれ諏訪地方にある縄文時代（新石器時代）の遺跡や展示された数々の出土品を鑑賞することになった。それが、「人」が生きるエネルギーを感知する思わぬ機会となり、同様に叙述を通して歴史と対話することができないだろうかと改めて考えるきっかけになっていた。

そういう雲をつかむような動機を、一人一人に話して相談した。対面で話した人もいたが、コロナ禍の状況下でもあり、多くは電話で、セセルスキ氏にはEメールで誘いを試みた。最初から興味津々という人もいれば、まあ最初の会合に出てから判断したいという人もいた。

「鉄は熱いうちに打て」というタイミングの問題も考え、急遽みんなで集まることになった。もちろん、すぐ年内に日本在住の全員が同時に集まる機会をもつというのは、コロナ禍の状況下で教鞭を執っている教員たちには難しく、一二月一九日と二五日の両日、それぞれ五人ずつで顔合わせをし、とりまとめ役はその両方に加わるということで、日程が決まった。会場は、専修大学神田キャンパスの大学院棟（七号館）七八四教室で、その後の会合も全て同じ場所で行なうことになる。

最初の顔合わせで第一歩が踏み出せるように、とりまとめ役が誘いの言葉をプロジェクトの趣旨文として準備した。一二月の二つの会合で趣旨文とその後の段取りについて自由に話し合った（とりまとめ役の書いた文章は、そのときのフィードバックを参考にして、その後、大幅に短縮され、本書に収められることになる。）

一二月の二つの会合を経た段階で、プロジェクトの各自が原則として上限八〇〇〇字の原稿（本文）を作成し、二年後の二〇二三年に小さな本として出版し成果を問うこと、そのためには第二回会合を二〇二二年六月に、第三回会合を同年一一月に、第四回会合は読み合わせを目標として二〇二三年三月に開催することも了承された。

そのうえで、とりまとめ役は急遽、自身のウェブサイトにプロジェクト立ち上げとメンバー構成と経緯を公表した。そのとき、サイトでは次のように唱っている。

このプロジェクトは、一万年以上にもわたる人類の歴史、「人」が試行錯誤によって取捨選択を重ねてきた歴史、その今日に至る長い歴史を念頭においたうえで、連綿とつながれてきた「生きるエネルギー」をいかに受けとめるかを考えつつ、歴史研究者ばかりかそれ以外の読者にも読んでいただけるような叙述方法を模索していきたい。

このとき各メンバーは、プロジェクトをどのような方向に向かわせたものか、自身のテーマと複数の史料をあれこれ思い浮かべながら、実のところ半信半疑で模索を開始した。

## ◆プロジェクトの経緯——第二回・第三回・第四回会合

各執筆者がそれぞれどのような歴史世界を提示できるのか、暗中模索のなかで、全員で繰り返し認識していたことがある。それは、歴史のなかに生きた人も今を生きている私たちも、みな個々の個性をもつ「人」であるということ。人種・国籍・出自・性のあり方・肌の色・宗教・「障がい」の有無など、それらがどうであれ何であれ、誰もが「人」である。どこでどの時代にどんな親から生まれようと、「生まれた」のは「人」だということである。

ところが、私たちは、個々の「人」にレッテルを貼って、その人が何者かを理解した気になることがある。たとえば、「あの人は日本人だ」と分類してしまう。その場合、その分類でわかったつもりになった瞬間、私たちはそれ以上の思考を停止する。

そうならないように、だれもが個々に異なる「人」であるという根本的な認識を大事にしたいと、私たち執筆者は考えた。それは当然のことだと言われれば、それまでだが、その当然のことを基本的な認識として、まず確認し合ったわけである。

第二回目の会合の具体的な日取りが決まる前、四月に田中氏が加わり、次いで会合の日取りも六月一二日と決まった。田中氏も趣旨文を読んで理解を示してくれた。

この会合では、三件の報告が予定されていた。まず、本プロジェクトのメンバーの大半が近現代の歴史に取り組んでいたので、古代中国史研究の多田氏が報告した。二〇〇〇年も前の古代中国で人間社会が紡がれる具体例を用いた報告に、近現代史研究者たちが反応し、予想外に活発な意見交換が行なわれた。休憩時間になっても質疑応答の熱は収まらず、古代社会の時空も、近現代史を考える感覚を揺さぶることがわかった。次は樋口報告の二件で、アメリカ在住のセセルスキ氏のブログ原稿の日本語翻訳「広島からの便り」（仮題）と、樋口の改訂した「歴史を考える回路」であった。前者については史料としての写真の提示と叙述の技について話し合われた。後者については、史料から解釈を引き出す導線の開示および歴史を叙述する書き手の試行錯誤の開示が提案された。その話し合いのなかで、時系列に頼らない歴史叙述の実験を本プロジェクトで試みる意義などについても意見が出され、本プロジェクトの着地点が「論文集」ではなく「歴史叙述の多様な試み」であることが再確認された。

三番目の田中報告では、関東大震災時の石碑に関する「記憶」と史料的な問題点・視点の多様性などが手短に紹介された。テーマの重要性と取り扱いの多難さを出席者一同で共有することができた。

こうして、少しずつ各メンバーの歴史世界の照準がそれぞれに意識されるようになった。

第三回目の会合では、各メンバーが自身のテーマを予告し、全員のテーマを一望する機会となった。いよいよ史料からのよみとりをどのように叙述して文章化するかという、課題が現実の問題として迫ってくるように思われた。

そして、三月二六日の第四回会合では、草稿を読み合わせた。会合の二日前に提出された全員の草稿に全員が目を通し、会合に備えた。その日は桜満開の空に花冷えの雨模様となったが、午前一〇時には全員が顔をそろえて、率直な意見交換が始まった。わかりにくい表現や文章に関する質問や、各自のテーマの背景と内容確認など、意見交換は多岐にわたった。

それは結果的に、各執筆者がそれぞれの歴史世界を互いに吟味し理解するという、まさに歴史との対話を互いに実践する試みの一コマとなった。そうした場を踏まえて、多様な歴史世界を一冊の本にまとめるということは、歴史と対話する場を不特定多数の読み手のみなさんと共有しようとする実験的な試みであるということも、執筆者一同で確認することができた。

もちろん、「言うは易く行なうは難し」という側面もある。現に、史料から実態をよみとろうとするとき、論文ばかりを書いてきた者に、「論文の殻」を超えて、自身を投影させ、自身の歴史世界を探って叙述するというのは、想像以上に難しいということもわかった。

したがって、三月の会合を終えたとき、各執筆者は最終原稿の完成にむけて、それぞれが目前の悪戦苦闘を自覚した。それは、自身の歴史世界をいかに叙述すれば「歴史との対話」を読み手のみなさんと交わすことができるかという難題に挑戦することでもあった。

＊　＊　＊

私たちが歴史に向かう姿勢や視点や感動は、私たちが常に今を生きている限り変化する。そうした執筆者各自が本書で描き出したそれぞれの歴史世界が、どれほど読み手に共有されるか。本書の全体をとおして、歴史との対話の積み重ねが読み手にどれほど訴えかけ追体験されるか。それは今、執筆を終えたばかりの私たちにはわからない。少しでも本のなかの何かが、今を生きる読み手の歴史理解と考えを触発することになれば、嬉しい。謙虚に歴史の史資料と向き合い、その背後にあるはずの実態を想像する歴史世界を、今を生きる読み手にいかほどでも伝えることができ、考えるきっかけにしてもらえることができれば、私たちにとってそれほど嬉しいことはない。

最後に、このような実験的な歴史エッセイ集の出版を快く引き受けてくださった彩流社のみなさまには心よりお礼申し上げる。そして、一人でも多くの方々に本書を読んでいただきたいと私たちは重ねて強く願っている。

二〇二三年五月初旬

執筆者一同を代表して　編者

歴史《れきし》との対話《たいわ》——今《いま》を問《と》う思索《しさく》の旅《たび》

2023 年 8 月 25 日発行　　　定価は、カバーに表示してあります。

編　者　樋　口　映　美

発行者　河　野　和　憲

発行所　株式会社　彩　流　社
〒 101-0051　東京都千代田区神田神保町 3-10　大行ビル 6 F
TEL 03-3234-5931 FAX 03-3234-5932
ウェブサイト　http://www.sairyusha.co.jp
E-mail　sairyusha@sairyusha.co.jp
印刷・製本　㈱丸井工文社
装丁　渡　辺　将　史

乱丁本・落丁本はお取り替えいたします。

ISBN 978-4-7791-2921-6 C0020

■執筆者紹介（50音順、主要業績3点、共著あるいは訳などの記載がない場合は、単著）

兼子　歩（かねこ　あゆむ）明治大学政経学部・准教授
『デジタル社会の多様性と創造性——ジェンダー・メディア・アート・ファッション』（共著、明治大学出版会、2023年）／『「ヘイト」に抗するアメリカ史——マジョリティを問い直す』（共著、彩流社、2022年）／『歴史のなかの人びと——出会い・喚起・共鳴』（共著、彩流社、2020年）／他。

川浦佐知子（かわうら　さちこ）南山大学人文学部・教授
「先住民の保留水利権と「文明化」——合衆国最高裁判決と先住民主権の未来」日本アメリカ学会『アメリカ研究』第57号（2023年）／『アメリカ先住民を知るための62章』（共著、明石書店、2016年）／“History, Memory, Narrative: Expression of Collective Memory in the Northern Cheyenne Testimony,” in Nanci Adler & Selma Leydesdorff eds., *Tapestry of Memory: Evidence and Testimony in Life Story Narratives, Transaction Publishers* (NJ: New Brunswick & London, 2013)／他。

小滝　陽（こたき　よう）関東学院大学国際文化学部・准教授
「『脱アメリカ化』のためのリハビリテーション——南ベトナムにおける責任委員会の活動と冷戦期人道援助規範の変容」東京大学アメリカ太平洋地域研究センター『アメリカ太平洋研究』22号（2022年）／「難民の『ワークフェア』—— 1960年代アメリカの福祉改革と国際的な人道援助の規範」（石井紀子・今野裕子編著『「法-文化圏」とアメリカ——20世紀トランスナショナル・ヒストリーの新視角』上智大学出版、2022年）／「兵士の福利——アメリカ社会と軍隊の歴史」（後藤玲子・新川敏光編『新 世界の社会福祉 第6巻 アメリカ合衆国／カナダ』旬報社、2019年）／他。

佐々木孝弘（ささき　たかひろ）東京外国語大学・名誉教授
「外に向かって開かれた家族とコミュニティ——1900年、ノースキャロライナ州ダーラム市のアフリカ系アメリカ人たち」（樋口映美編『流動する〈黒人〉コミュニティ——アメリカ史を問う』彩流社、2012年）／「脱走兵とジェンダー——南北戦争期のノースカロライナ州の事例から」（立石博高・篠原琢共編著『国民国家と市民——包摂と排除の諸相』山川出版社、2009年）／「殺された少女とその家族の表象——メアリー・フェイガン殺害事件とレオ・フランクのリンチ事件再考（1913年—1915年）」東京外国語大学海外事情研究所『クァドランテ』第5号（2003年）／他。

**佐藤勘治**（さとう　かんじ）獨協大学国際教養学部・教授
「1911 年中国人移民虐殺事件の諸相――メキシコ新興都市トレオンと中国人移民」獨協大学国際教養学部言語文化学科『マテシス・ウニウェルサリス』第 23 巻第 2 号（2022 年）／「『邦人七名殺戮』の風説――トレオン中国人移民虐殺事件と日本人移民」（樋口映美編『歴史のなかの人びと――出会い・喚起・共感』彩流社、2020 年）／「20 世紀転換期米メキシコ国境地域の「曖昧な領域」性――モルモン教徒メキシコ移住とビリャ懲罰遠征隊」北海道大学スラブ・ユーラシア研究センター『境界研究』第 3 号（2013 年）／他。

**佐原彩子**（さはら　あやこ）共立女子大学国際学部・准教授
『はじめて学ぶ アメリカの歴史と文化』（共著、ミネルヴァ書房、2023 年）／『「ヘイト」に抗するアメリカ史――マジョリティを問い直す』（共著、彩流社、2022 年）／「自立を強いられる難民―1980 年難民法成立過程に見る『経済的自立』の意味」日本アメリカ史学会『アメリカ史研究』第 37 号（2014 年 8 月）／他。

Cecelski, David S.（セセルスキ，ディヴィッド・S）歴史研究者
*The Fire of Freedom: Abraham Galloway and the Slaves' Civil War* (Chapel Hill, N.C.: University of North Carolina Press, 2012) ／ *The Waterman's Song: Slavery and Freedom in Maritime North Carolina* (Chapel Hill, N.C.: University of North Carolina Press, 2001) ／ *Along Freedom Road: Hyde County, North Carolina, and the Fate of Black Schools in the South* (Chapel Hill, N.C.: University of North Carolina Press, 1994) ／ 他 。

**多田麻希子**（ただ　まきこ）日本学術振興会特別研究員 ＰＤ
『秦漢時代の家族と国家』（専修大学出版局、2020 年）／専修大学『二年律令』研究会（共訳）「『嶽麓書院藏秦簡（參）訳注』――第一類　案例〇六「暨過誤失坐官案」」専修大学歴史学会『専修史学』第 72 号（2020 年）／「秦漢時代の簡牘にみえる家族関連簿集成稿（その四）」（専修大学歴史学会『専修史学』第 65 号（2018 年）／他。

**田中正敬**（たなか　まさたか）専修大学文学部・教授
「東京における関東大震災時の朝鮮人虐殺と流言」（伊藤俊介・小川原宏幸・愼蒼宇編『「下から」歴史像を再考する――全体性構築のための東アジア近現代史』有志舎、2022 年）／『地域に学ぶ関東大震災』（共著、日本経済評論社、2012 年）／「関東大震災時の朝鮮人虐殺とその犠牲者をめぐって」（専修大学人文科学研究所編『移動と定住の文化誌――人はなぜ移動するのか』彩流社、2011 年）／他。

**永島　剛**（ながしま　たけし）専修大学経済学部・教授
「感染症・検疫・国際社会」（『岩波講座世界歴史 第11巻　構造化される世界 14～19世紀』岩波書店、2022年）／「都市における疾病流行への認識――ヴィクトリア時代ロンドンの場合」都市史学会『都市史研究・8』（山川出版社、2021年）／『衛生と近代――ペスト流行にみる東アジアの統治・医療・社会』（共編、法政大学出版局、2017年）／他。

**樋口映美**（ひぐち　はゆみ）専修大学・名誉教授
『アメリカ東海岸 埋もれた歴史を歩く』（デイヴィッド・S・セセルスキ著、編訳、彩流社、2023年）／『アメリカ社会の人種関係と記憶――歴史との対話』（彩流社、2021年）／『アメリカ黒人と北部産業――戦間期における人種意識の形成』（彩流社、電子版2019年、初版1997年）／他。

# 註

## 歴史を考える回路――史料のよみとりと叙述……………………………樋口映美

（１）鵜飼幸雄『国宝土偶「縄文ビーナス」の誕生――棚畑遺跡』（新泉社、2010年・2016年）。とりわけ、その制作時期については同書、pp. 14-17。および、尖石縄文考古館の展示説明。

（２）守矢昌文『国宝土偶「仮面の女神」の復元――中ッ原遺跡』（新泉社、2017年）。とりわけ、制作された時期と復元については同書 pp. 70-80 および尖石縄文考古館の展示説明。

（３）八ヶ岳西麓の縄文遺跡に関する入門書として、藤森英二『信州の縄文時代が実はすごかったという本』（信濃毎日新聞社、2017年）など。

（４）阿部欣也は、ドイツ史研究者Ｈ・ハインペルの書を『人間とその現在――ヨーロッパの歴史意識』（未来社、1975年）と題して翻訳したばかりでもあった。

（５）阿部欣也『歴史と叙述――社会史への道』（人文書院、1985年）、pp. 83-84。

（６）同上、p. 92。

（７）二宮宏之「歴史的志向の現在」『二宮宏之著作集　第１巻』（岩波書店、2011年）、p.41。初出は山之内靖ほか編『岩波講座　社会科学の方法９　歴史への問い／歴史からの問い』（岩波書店、1993年）、さらに『全体を見る眼と歴史家たち』（平凡社、1995年）に所収。

（８）清水透『増補　エル・チチョンの怒り――メキシコ近代とインディオの村』（岩波現代文庫、2020年）、p. iv。

（９）同上、p. v。

（10）ヘザー・Ａ・ウィリアムズ（樋口映美訳）『引き裂かれた家族を求めて――アメリカ黒人と奴隷制』（彩流社、2016年）、pp. 138-139。

## ヒロシマからの便り………………………………デイヴィッド・Ｓ・セセルスキ

（訳註１）爆心情報は、広島市公式サイト（https://www.city.hiroshima.lg.jp/site/faq/9447.html）参照。袋島国民学校から爆心地までの距離は、広島市公式サイト（https://www.city.hiroshima.lg.jp/soshiki/48/9283.html）およびヒロシマピースツーリズムのサイト（https://peace-tourism.com/story/fukuromachielementaryschool.html）参照。閲覧は、いずれも2023年３月。

## 石碑は語る――関東大震災と朝鮮人犠牲者の追悼…………………………田中正敬

（１）千葉県における関東大震災と朝鮮人犠牲者追悼・調査実行委員会編『いわれなく殺された人びと――関東大震災と朝鮮人』（青木書店、1983年）。

（２）李炳河、文剛「関東大震災と追悼のいとなみ」（朝鮮人強制連行真相調査団編著『朝鮮人強制連行の記録――関東編１　神奈川・千葉・山梨』柏書房、2002年）。本書には、関東大震災体験者の文戊仙さん、「移葬碑」に名前が刻まれている林守根さんの証言も収められている。

（３）前掲、『いわれなく殺された人びと』、pp. 28-30。

（4）渡邉良雄『人生行路――私の歩いた道』私家版、1978 年。ここでは『いわれなく殺された人びと』の抄録（pp. 258-268）から引用している。
（5）鎌ケ谷市教育委員会編『鎌ケ谷市史――資料編Ⅳ・上（近・現代 1）』（鎌ヶ谷市、1995 年）p.619。
（6）呉鎮副官宛打電、各地方長官宛、内務省警保局長発電文、JACAR（アジア歴史資料センター）Ref.C08050968400、『大正 12 年　公文備考　巻 155　変災災害』（原史料は防衛省防衛研究所所蔵）。
（7）前掲、『いわれなく殺された人びと』、p. 246。
（8）司法省「震災後に於ける刑事事犯及之に関連する事項調査書」（姜徳相・琴秉洞編『現代史資料 6　関東大震災と朝鮮人』みすず書房、1963 年）。
（9）『東京日日新聞』（1923 年 12 月 13 日）。
（10）前掲、『いわれなく殺された人びと』pp. 168-169。
（11）「弱き晩秋の陽寒く　鮮人同胞の追悼会」（『東京日日新聞』房総版、1923 年 11 月 11 日付）。なお、適宜句読点を補っている。
（12）「鮮人追悼会は途中で解散　女学生も悲痛な報告　演説は中止に次ぐ中止」（『報知新聞』1924 年 9 月 14 日付）。
（13）山田昭次「戦前における在日朝鮮人による関東大震災時被虐殺朝鮮人追悼・抗議運動年表」（在日朝鮮人運動史研究会『在日朝鮮人史研究』第 40 号、2010 年）、pp. 70-71。
（14）東京大空襲・朝鮮人罹災を記録する会編著『東京大空襲・朝鮮人罹災の記録――なぜ、そこに朝鮮人がいたのか PART2』（綜合企画舎ウイル、2007 年）、pp. 37-38。

## 難民のトラウマ経験と戻らない家族……………………………………………………佐原彩子

（1）Barry N. Stein, “Occupational Adjustment of Refugees: The Vietnamese in the United States,” *International Migration Review* 13 (1979): 25-45.
（2）United Nations High Commissioner for Refugees, *The UNHCR Global Report 1999* (New York: Oxford University Press, 2000).
（3）Donald F. Hones, Shou C. Cha, and Cher Shou Cha, *Educating New Americans: Immigrant Lives and Learning* (Mahwah, N. J.: Erlbaum, 1999); James W. Tollefson, *Alien Winds: The Reeducation of America's Indochinese Refugees* (New York: Praeger, 1989).
（4）片桐康宏「アメリカにおける英語公用語化への動き ――「核」と「異質」の緊張関係の中で」日本アメリカ学会『アメリカ研究』第 27 号（1993 年）：189-199；Jody Lynn McBrien, "Educational Needs and Barriers for Refugee Students in the United States: A Review of the Literature," *Review of Educational Research* 75: 3 (2005): 329-364.
（5）Margaret Gibson, "Promoting Academic Success among Immigrant Students: Is Acculturation the Issue?," *Politics of Education Association* 12; 6 (1998): 615-633; Laurie Olsen, *Crossing the Schoolhouse Border: Immigrant Students and the California Public Schools* (A California Tomorrow Policy Research Report, 1998).
（6）Competency-Based Mainstream English Language Training Project (MELT) Resource Package. March, 1985.
（7）Margaret Sinclair, *Education in Emergencies in Learning for a Future: Refugee Education in Developing Countries* (Lausanne, Switzerland: United Nations publications, 2001): 1-84; Tricia Hynes, "The Issue of 'Trust' or 'Mistrust' in Research with Refugees: Choices, Caveats and Considerations for Researchers," *New Issues in Refugee Research Working Papers*, 98 (2003).
（8）Shay Cannedy, “Crafting Citizens: Resettlement Agencies and Refugee Incorporation in the U. S,”

*Practicing Anthropology* 33 (4): 29-34.

（9）年齢や家族構成や経験などについての共有は問題がないが、本人から名前は伏せて欲しいという要望があったため仮名（名前・姓順）である。彼女とは、著者がアメリカに滞在していた2006年から2012年の間さまざまな話を聞くことができたが、その後も2023年の現在に至るまでやり取りをしている関係である。以下彼女の経験についての内容は、これまでに共有してきた話に加えて、プレゼンテーションやメールでのやりとりに基づくものである。

（10）ここで引用している話は、2023年3月9日に彼女から著者へ送付された録音されたパワーポイントプレゼンテーションによるものである。2010年代後半に彼女の体験を、アメリカ人の友人たちとその知り合いに共有したものである。

（11）Ibid.

（12）Ibid.

（13）2023年4月4日、メールによるミーから著者への回答。

（14）Long T. Bui, *Returns of War: South Vietnam and the Price of Refugee Memory* (New York: New York University Press, 2018), 85.

（15）Nguyen, Kim, "'Without the Luxury of Historical Amnesia': The Model Postwar Immigrant Remembering the Vietnam War Through Anticommunist Protests," *Journal of Communication Inquiry* 34 (2): 134-150.

＜追記＞

本稿は、JSPS科研費JP22K12520の助成を受けたものです。

## 「約束の地」からの脱出――米国黒人のメキシコ農園入植と集団脱出……佐藤勘治

（1）"Forty American Negroes Killed, Barbarous Treatment of Colored Men in Mexico-Sold into Bondage," *St. Louis Globe-Democrat* (St. Louis, Missouri), 24 May 1895.

（2）本章で使う主な史料は、当時の新聞記事とクリーブランド大統領の指示で米国下院がまとめた文書である。US, House of Representatives, "Failure of the Scheme for the Colonization of Negroes in Mexico," 54th Congress, 1st Session, Document No.169, 1896. 以下HR.と略記。メキシコでも米国黒人入植に関する議論が行われ、批判的なものが多かった。

（3）1895年入植事業については以下が詳しい。Karl Jacoby, *The Strange Career of William Ellis: The Texas Slave Who Become a Mexican Millionaire* (W. W. Norton, 2016); John McKierman-González, *Fevered Measures: Public Health and Race at the Texas-Mexico Border, 1848-1942* (Durham, N. C.: Duke University Press, 2012).

（4）入植者列車に関する記事は、"Negroes bound for the Land of Promise," *Times Picayune* (New Orleans, Louisiana), 4 Feb. 1895.

（5）入植者募集案内は、"Tlahualilo Colonization Company. Get ready at once," HR., p.59.

（6）ラグナ地方の綿作については、スヴェン・ベッカート『綿の帝国』紀伊国屋書店、2022年に記載がある。拙稿「1911年中国人移民虐殺事件の諸相――メキシコ新興都市トレオンと中国人移民」獨協大学国際教養学部言語文化学科『マテシス・ウニウェルサリス』第23巻第2号（2022年）、では概要を述べた。なお、同論考11頁で米国黒人の入植年を1893年と記述したが誤りである。

（7）"Contract between the Agricultural, Industrial and Colonization Company of Tlahualilo, Limited and Mr. H. Ellis (11 Dec., 1894)," HR., p.46.

（8）入植者たちは地元の厄介者であり、そのため出発を喜んだとする記事もある。“They Make a Pitiful Plea,” *The Tuskaloosa Gazette* (Tuscaloosa, Alabama), 26 Sep. 1895.

（9）エリスは、1864 年テキサス州の綿花農園に奴隷として生まれた。入植者列車を取材した記者は、「エリスの述べるところではキューバ生まれである」と疑念を匂わせている。詳しくは、Jacoby, *The Strange Career of William Ellis* を参照のこと。

（10）米陸軍将校がおこなったトラウアリロ調査報告によれば、入植者数は 816 人ほどとされている。“Mr. Dwyer's Report (October 3, 1895),” HR., p.42. 資料によって入植者数は前後している。

（11）引用記事は “Didn't Like Job,” *Times Picayune* (New Orleans, Louisiana), 6 March 1895.

（12）「クレイバーン」を下院文書に基づいて「クレイボーン」とすることもできるが、ここでは混乱を避けるため本章冒頭の記事で使われていた名を使う。

（13）“Mr. Burk to Mr. Uhl,” HR., pp.2-3.

（14）“Mr. Ellis to Mr. Gresham,” HR., pp.3-4.

（15）“Mr. Sparks to Mr. Url,” HR., p.6.

（16）以下、スパークス報告は、“Mr. Sparks to Mr. Url,” HR., pp.6-9.

（17）入植地の状況を劣悪だとする記事がある一方で、例えば、“Negroes Well Treated,” *San Francisco Call* (San Francisco, California), 7 July 1895 では扱いが良いとしている。

（18）名簿は、“Mr. Dwyer's Report (October 3, 1895)” HR. にある。

（19）スパークス報告において、生活環境は劣悪ではなく改善も可能だとマッキーは説明している。下院文書には、逃亡事件に関する農園側の報告もある。

（20）農園内には牢も設けられていた。カードウェルは逃亡を先導したことで「二週間近く留置され」たと経験を証言している。牢については、スパークス報告に別の留置証言もある。

（21）メキシコへの米国黒人奴隷の逃亡については、Alice L. Baumgartner, *South to Freedom: Runaway Slaves to Mexico and the Road to the Civil War* (Basic Books, 2020).

（22）“Rosy Pictures from Mexico,” *Freeman*, Vol.7, No.18, 4 May 1895.

## 南北戦争における「脱走」の意味するもの……………………………佐々木孝弘

（1）Marriage Bonds, Randolph County, North Carolina Department of Archives and History; Federal Manuscript Census, 1860, Free Schedule, Randolph County, North Carolina, M653.

（2）Federal Manuscript Census, 1860, Free Schedule, Randolph County, North Carolina, M653.

（3）*An Act to Further Provide for the Public Defense, Approved April 16, 1862, Statutes at Large of the Confederate States of America, First Session of the First Congress, 1862, Chapter 31, p.30; An Act to Exempt Certain Persons from Military Duty, and to Repeal an Act Entitled “An Act to Exempt Certain Persons from Enrollment for Service in the Army of the Confederate States (Approved April 21, 1862), (Approved October 11, 1862) Statutes at Large, Second Session, First Congress, 1862*, Chapter 45, p.77.

（4）William Lebock to Zebulon B. Vance, August 30, 1864, Governors' Papers, Vance, North Carolina Department of Archives and History.

（5）Weymouth T. Jordan Jr., ed. , *North Carolina Troops, 1861-1865: A Roster* (Raleigh: North Carolina Office of Archives and History, 1979), Vol.7, pp.82-94. Hereafter cited as *North Carolina Troops, 1861-1865*, Vol.7.

（6）*North Carolina Troops, 1861-1865*, Vol.7, p. 84; William D. Cross vs. Elmira Cross (1868), Divorce Records, Randolph County, North Carolina, North Carolina Department of Archives and

History.

（7）たとえば、Annie B. Walker to Mary E. Torrence, December 25, 1863, L. C. Glenn Papers, Southern Historical Collection, University of North Carolina at Chapel Hill; D. Curtis to Marmaduke S. Robins, January 9, 1865, Marmaduke Swain Robbins Papers, Southern Historical Collection, University of North Carolina at Chapel Hill; Emily Branson to Governor Zebulon Vance, April 21, 1863, Governors' Papers, Vance, North Carolina Department of Archives and History などの手紙を参照。

（8）*North Carolina Troops, 1861-1865*, Vol.7, pp. 84, 92.

（9）*North Carolina Troops, 1861-1865*, Vol.7, pp. 82-94.

（10）*North Carolina Troops, 1861-1865*, Vol.7, pp. 87, 91, 126.

（11）*North Carolina Troops, 1861-1865*, Vol.7, pp. 87, 91.

（12）*North Carolina Troops, 1861-1865*, Vol.7, p. 91.

（13）Ibid.

（14）Ibid.

**第一次世界大戦下のアメリカ軍兵士と飲酒**……………………………………兼子　歩

（1）訳はアメリカンセンター JAPAN 公式ウェブサイト掲載のものを用いた。

（2）岡本勝『禁酒法——「酒のない社会」の実験』（講談社、1996 年）は、禁酒法時代のアメリカ社会に関する優れた一般向け概説となっている。

（3）Lisa McGirr, *The War on Alcohol: Prohibition and the Rise of the American State* (New York: Norton, 2016). この研究では、禁酒法が 1980 年代から現在に至る「麻薬との戦争」による大量収監国家の登場の先駆けであることも示唆されている。「麻薬との戦争」については、Michelle Alexander, *The New Jim Crow: Mass Incarceration in the Age of Colorblindness* (New York: New Press, 2010) および藤永康政「アメリカ合衆国の人種主義的大量収監と 21 世紀の刑罰国家」歴史学研究会『歴史学研究』第 987 号（2019 年）、pp. 17-25 を参照。

（4）E. Anthony Rotundo, *American Manhood: Transformations in Masculinity from the Revolution to the Modern Era* (New York: Basic Books, 1993); Michael Kimmel, *Manhood in America: A Cultural History*, 4th edition (New York: Oxford University Press, 2017).

（5）Madelon Powers, *Faces Along the Bar: Lore and Order in the Workingman's Saloon, 1870-1920* (Chicago: University of Chicago Press, 1998). 岡本勝「20 世紀への転換期アメリカにおける酒場文化とその終焉」歴史学研究会『歴史学研究』第 1033 号（2023 年）、pp. 33-44。

（6）岡本勝『アメリカ禁酒運動の軌跡——植民地時代から全国禁酒法まで』（ミネルヴァ書房、1994 年）。John J. Rumbarger, *Profits, Power, and Prohibition: Alcohol Reform and the Industrializing of America, 1800-1930* (Albany: SUNY Press, 1989); Ian R. Tyrrell, *Women's World, Women's Empire: the Women's Christian Temperance Union in International Perspective, 1880-1930* (Chapel Hill: University of North Carolina Press, 1991); Catherine Gilbert Murdock, *Domesticating Drink: Women, Men, and Alcohol in America, 1870-1940* (Baltimore: Johns Hopkins University Press, 1998).

（7）1899 年に併合したフィリピンにおける植民地支配のための駐留軍や、革命期のメキシコでのビリャ捕獲作戦のために 1916 年に派遣された遠征軍は、性病を抑制するためにセックスワーカーの登録制や性病検査の強制といった管理がなされた。だが、当時の改革運動の潮流の中で、こうした政策は規制によって不道徳な性売買の存在を公認するものとして非難を浴びた。Allan M. Brandt, *No Magic Bullet: A Social History of Venereal Disease in the United States Since 1880* (New York: Oxford University Press, 1985), chapter 1;

Ann R. Gabbert, "Prostitution and Moral Reform in the Borderlands: El Paso, 1890-1920," *Journal of the History of Sexuality* 12 (October 2003):575-604; Paul A. Kramer, "The Military-Sexual Complex: Prostitution, Disease, and the Boundaries of Empire during the Philippine-American War," *The Asia-Pacific Journal* 9 (July 2011): 1-35.

（8）アメリカン・プランは、性売買を規制により存続させる政策を非難した道徳主義と、新しい統治の論理としての社会衛生学的知見が結合したことで生まれた政策であった。社会衛生学は、「科学」の名の下に、性病を「人種」――ここでは白人を指す――共同体にとっての集合的な脅威とみなし、「科学的」な対策による社会の防衛を訴える知であった。革新主義期における「科学」としての社会衛生論の展開と、第一次大戦の性病政策に対するその影響については、David J. Pivar, *Purity and Hygiene: Women, Prostitution and the "American Plan," 1900-1930* (Westport, CT: Greenwood Press, 2002). 革新主義期の改革政治は「科学」的知による統治の効率化を推進するところに特徴があった。だが、「科学」的統治の内実は一枚岩ではなく、社会衛生学者やソーシャルワーカーなどが異なる「科学」観と政策を争っていた。松原宏之『虫喰う近代―― 1910 年代社会衛生運動とアメリカの政治文化』（ナカニシヤ出版、2013 年）を参照。

（9）Brandt, *No Magic Bullet*, chapter 2. こうした政策は戦間期にも存続し、第二次大戦後まで持続されたことを、以下の研究が明らかにしている。Scott Wasserman Stern, *The Trials of Nina McCall: Sex, Surveillance, and the Decades-Long Government Plan to Imprison "Promiscuous" Women* (Boston: Beacon press, 2018).

（10）CTCA については、以下の研究が代表的である。Nancy K. Bristow, *Making Men Moral: Social Engineering during the Great War* (New York: New York University, 1996).

（11）十四人委員会については、Thomas C. Mackey, *Pursuing Johns: Criminal Law Reform, Defending Character, and New York City's Committee of Fourteen, 1920-1930* (Columbus, OH: Ohio State University Press, 2005). 潜入調査によって社会問題の実態を探るという手法は、20 世紀転換期アメリカ都市部の改革運動に典型的であった。Jennifer Fronc, *New York Undercover: Private Surveillance in the Progressive Era* (Chicago: University of Chicago Press, 2009).

（12）"Casey's Rathskeller (Hertzberg) 201 Bleecker St., Utica N.Y.," September 17, 1917, Folder "Utica, NY 2," Box 25, Committee of Fourteen Papers, New York Public Library.

（13）"J.A.S. Peekskill, N.Y.," August 11, 1917, Folder "Peekskill," Box 25, C14 Papers.

（14）"Hoberg's Café& Restaurant," March 18, 1918, Folder "Local Camp Condition (1)," Box 24, C14 Papers.

（15）"Report of D.O.," March 2 to 4, 1919, Folder "Buffalo, NY," Box 24, C14 Papers.

（16）"Corner of Manhattan St. & Old Broadway," March 19, 1918, Folder "Local Camp Condition (1)," Box 24, C14 Papers.

（17）"Herman Café Company Saloon," March 9, 1918, Folder "Local Camp Condition (1)," Box 24, C14 Papers.

（18）"Report on Pennsylvania Depot and Streets in vicinity," April 28, 1918, Folder "New York City 1917," Box 24, C14 Papers.

（19）"General Conditions and Conversations, Utica, N.Y.," September 15, 1917, Folder "Utica 1," Box 25, C14 Papers.

（20）"SYRACUSE INVESTIGATION," September 8, 1917, Folder "Syracuse 1," Box 25, C14 Papers.

（21）George H. West to Raymond B. Fosdick, August 17, 1917, Folder "Albany," Box 24, C14 Papers.

（22）Richard S. Faulkner, *Pershing's Crusaders: The American Soldier in World War I* (Lawrence,

KS: University of Kansas Press, 2017), 49-50. 兵役免除・延期については、John Whiteclay Chambers, Jr, *To Raise an Army: The Draft Comes to Modern America* (New York: Free Press, 1987), 187-190.

なお、この論考は、科学研究費補助金基盤研究 (B)「日本軍『慰安婦』制度の国際比較―帝国主義諸国の軍隊と性売買・性暴力」（課題番号 18H00716）による研究成果の一部である。

## 親と子の距離感――中国古代の孝の在り方……………………………………多田麻希子

（1）標点文・訳は、陳平・王勤金「儀徵胥浦 101 號西漢墓≪先令券書≫初考」（『文物』1987 年第 1 期）、西川素治「漢代の遺言状――江蘇儀徵胥浦 101 号前漢墓出土『先令券書』について」（『栗原益男先生古稀記念論集 中国古代の法と社会』汲古書院、1988 年）；杉本憲司「江蘇儀徵県の前漢墓出土の「先令券書」――前漢時代の貧についての一考察」（『布目潮渢博士古稀記念論集 東アジアの法と社会』汲古書院、1990 年）等を参照。

（2）睡虎地四号秦墓木牘 11 号木牘の標点文は、陳偉主編、彭浩・劉樂賢等撰著『秦簡牘合集 釋文注釋修訂本（貳）』（武漢大学出版社、2016 年）を参照した。

（3）張家山漢簡『二年律令』賊律（35 から 37 簡）の標点文と訳は、専修大学『二年律令』研究会「張山家漢簡『二年律令』訳注（1）――賊律」（専修大学歴史学会『専修史学』35 号、2003 年）を参照した。

（4）睡虎地秦簡 封診式・遷子爰書（ 46 から 49 簡）の標点文は、陳偉主編、彭浩・劉樂賢等撰著『秦簡牘合集 釋文注釋修訂本（壹）』（武漢大学出版社、2016 年）を参照した。

（5）睡虎地秦簡 封診式・告子爰書（50 から 51 簡）の標点文は、註（4）に同じ。

（6）栗原圭介訳『孝経』（明治書院、1986 年）、p. 78 を参照。

（7）訳は、竹内照夫訳『礼記（上）』（明治書院、1971 年）、p. 18；『同（中）』（同、1977 年）、pp. 426-427 を参照した。

（8）訳は、野口定男訳『史記（下）』（平凡社、1972 年）、p. 101 を参照した。

（9）訳は、竹田晃訳『捜神記』（平凡社、1964 年）、pp. 217-218 を参照した。

（10）E・H・カー（近藤和彦訳）『歴史とは何か』（岩波書店、2022 年）、p. 43。

## 生きる縁《よすが》としての歴史――ノーザン・シャイアンの「帰還」……………川浦佐知子

（1）Chief Dull Knife College, *We, the Northern Cheyenne People: Our Land, Our History, Our Culture* (MT: Red Bird Publishing, Inc., 2008). 州の基金（the Funding for the Tribal Histories and Equipment Project）を受けて出版された。

（2）先住民保留地は条約もしくは、大統領令によって設立される。2023 年現在、合衆国には 326 の先住民保留地が存在する。モンタナ州には 7 つの先住民保留地が存在し、12 の部族が部族自治を展開している。U. S. Department of the Interior, Indian Affairs, https://www.bia.gov/faqs/what-federal-indian-reservation, 2023.4.12.

（3）2009 年 5 月、モンタナ州レイムディア、チーフ・ドゥルナイフ・カレッジにて、リチャード・リトルベアへの著者インタビュー。リトルベアは 1999 年から 2022 年まで学長を務めた。

（4）部族大学は部族の伝統に基づいた建学理念を有する高等教育機関であり、先住民保留地にキャンパスを置く。1973 年、先住民部族が独自に管理・運営する部族大学が初めて

合衆国に誕生し、2023年の時点でその数は37校となっている。American Indian Higher Education Consortium, https://www.aihec.org/about-aihec/, 2023.5.8.

（5）Tom Weist, *A History of the Cheyenne People* (MT: Montana Council for Indian Education, 1977)

（6）歴史叙述のあり方をめぐる議論において、ジャブロンカは「書法は単なる「結果」の伝達手段でもなければ、研究が終わるやいなや大急ぎでかけられる包装紙でもない。それは研究そのものの展開であり、調査の本体である」と述べ、歴史を「より自由で、より正当で、より独創的で、より反省的なやり方で書こうと試みること」は、「研究の科学性を弛緩させるどころか、それを強化する」と主張する。イヴァン・ジャブロンカ『歴史は現代文学である――社会科学のためのマニフェスト』（名古屋大学出版、2018年）、p. 2。

（7）Chief Dull Knife College, *We, the Northern Cheyenne People*, pp. 23-33.

（8）1803年ルイジアナ購入によってミシシッピ川以西に広大な土地を得た合衆国は、その地に先住民を強制移動させる構想を打ち立て、1830年にインディアン強制移住法を制定すると、ミシシッピ川以東（現在のフロリダ、ジョージア、アラバマ、テネシー、ミシシッピ州）に暮らすチャクトー、クリーク、セミノール、チェロキー、チカソーに移動を強いた。合衆国は統治機構が未だ整備されていない領土へ先住民を追いやり、その地を「インディアン・テリトリー」と呼んだ。当初、インディアン・テリトリーはミシシッピ川以西の広大な土地を意味したが、19世紀半ばには現在のオクラホマ州ほどの規模に縮小され、1907年にオクラホマが州昇格を果たすと消失した。「テリトリー(territory)」は通常「準州」と訳され、域内の人口増加や統治システムの整備状況をもとに州（state）に昇格するが、インディアン・テリトリーについては、先住民が完全統治する自治圏となることは想定されていなかった。

（9）ノーザン・シャイアンのオクラホマからの帰還については、John H. Monnett, *Tell Them We Are Going Home: the Odyssey of the Northern Cheyennes* (OK: University of Oklahoma Press, 2001) を参照。

（10）NAGPRAはNative American Graves Protection and Repatriation Actの略。先住民墓地の保護と文化財の返還を目的として制定された。「文化財」には遺骨、埋蔵品、聖遺物や伝承物・世襲財産が含まれ、合衆国全土の博物館等研究機関に収蔵されていた30万柱から60万柱の先住民の遺骨の返還が目指された。NAGPRAについては、川浦佐知子「アメリカ先住民墓地保護および返還法――NAGPRAが問う先住民の人権」阿部珠理編『アメリカ先住民を知るための62章』（明石書店、2016年）、pp. 98-102を参照。

（11）1970年7月のニクソン大統領による議会特別教書によって、連邦と先住民部族との信託関係の維持が再確認され、先住民の「自決（self-determination）」を重視した先住民政策が採用されることとなった。連邦は先住民の自決を「先住民による連邦プログラムの管理・運営、及び経済開発」と解釈したが、先住民側は合衆国との締結条約を基とした「自決」を主張した。先住民の権利運動については、内田綾子『アメリカ先住民の現代史――歴史的記憶と文化継承』（名古屋大学出版、2008年）、pp. 73-106を参照。

（12）ノーザン・シャイアン保留地設立過程については、Orlan J. Svingen, *The Northern Cheyenne Reservation, 1877-1900*（CO: University Press of Colorado）を参照。タンリバー保留地は他部族との共同保留地となる可能性を持っていた。タンリバー保留地は444,157エーカーに拡大され、ノーザン・シャイアン保留地となった。

（13）2005年8月、モンタナ州バズビィにて、ジム・ラトルスネイク（仮名）への著者インタビュー。

（14）1934年インディアン再組織法によって部族自治が認められ、同化政策に区切りがついたものの、部族教育や信教に関する自由は1970年代まで認められなかった。インディ

アン都市移住計画は1952年から1973年まで続き、約10万人の先住民が保留地から西部や中西部へ移住した。大野あずさ「都市インディアン――都市化と文化継承」阿部珠理編『アメリカ先住民を知るための62章』(明石書店、2016年)、pp. 124-125。

(15) 2005年8月、モンタナ州バズビィにて、ジム(仮名)への著者インタビュー。

(16) サウスダコタ州に所在するベアビュートは、ノーザン・シャイアンのレジェンドであるスィート・メディスンが啓示を受けた地であり、近郊のブラックヒルズと共にシャイアンの聖地である。平原先住民の精神世界については、阿部珠理『聖なる木の下へ――アメリカインディアンの魂を求めて』(KADOKAWA/角川学芸出版、2014年)を参照。

(17) 2005年8月、モンタナ州バズビィにて、ネリー・レッドヒル(仮名)への著者インタビュー。

(18) ノーザン・シャイアン保留地における石炭開発計画とその顛末については、川浦佐知子「部族自治と資源開発――1970年代アメリカ・エネルギー開発とノーザン・シャイアン居留地」南山大学紀要『アカデミア』人文・自然科学編 第5号(2013年)、pp.57-83、及び内田『アメリカ先住民の現代史』、pp. 225-233を参照。

(19) 1887年に制定された一般土地割当法は、先住民世帯主に160エーカーの土地を与え、残りの保留地土地を「余剰地」として没収した。1934年まで施行され、合衆国全土で6000万エーカーの土地が先住民から奪われたという試算もある。ノーザン・シャイアン保留地では1926年に割当法が適用された。Indian Land Tenure Foundation, http://www.iltf.org/land-issues/land-loss, 2023.3.22.

(20) 2010年8月、モンタナ州レイムディア、チーフ・ドゥルナイフ・カレッジにて、トレッサ・ウドゥンレッグへの著者インタビュー。

(21) 現在採用されている部族員制度や血筋による部族員認定方法は、連邦政府が部族員の権利、財産、義務の規定するようになったことに由来する。鎌田遵『ネイティブ・アメリカン――先住民社会の現在』(岩波書店、2009年)、pp.1-20を参照。

## 戦争が生んだ問いと感情――南ベトナムで書かれたアメリカ人の手紙……小滝　陽

(1) Dorothy Weller to Friends, December 1, 1968, newsletter #3, folder: 52593, box: ISD RPO 1968 ASIA - con't S. VIETNAM, American Friends Service Committee Archives (AFSC), Philadelphia, PA.

(2) Dot [Weller] to Philly Folks, March 23,1969, SV-P#38, folder: 44111, box: ISD RPO 1969 AFRICA - con't Nigeria - con't ASIA - con't Hong Kong Vietnam -(gen'l) N. VIETNAM S. VIETNAM, AFSC.

(3) Weller to Friends, December 1, 1968.

(4) 今井昭夫「ベトナム中部クアンガイ省におけるベトナム戦争の記憶」『東京外大東南アジア学』第16号(2011年)、p. 70。クアンガイ市の北方13キロの地点には、1968年3月16日に米軍が住民を虐殺したソンミ村ミライ地区があり、ウェラーたちのところに『ニューヨーク・タイムズ』や『ニューズウィーク』の記者が取材に訪れました。Dot [Weller] to Marty/Roger, November 16, 1969, SV-P#217, folder "ISD RPO - ASIA 44108," box "ISD RPO 1969 AFRICA - con't Nigeria - con't ASIA - con't Hong Kong Vietnam -(gen'l) N. VIETNAM S. VIETNAM," AFSC.

(5) "South Vietnam Refugee Resettlement Services Report #1," May 26, 1966; and "Vietnam Refugee Program Report #2," August, 1966, folder "Quaker Service –Vietnam, 1966-67," box "AFSC Serial Countries," AFSC.

(6) Report #14, February, 1968, folder "Quaker Service –Vietnam, 1968-69," box "AFSC Serial

Countries," AFSC.

（7）Dot [Weller] to Friends, November 18, 1968, SV-P#116, folder: 52587, box: ISD RPO 1968 ASIA - con't S. VIETNAM, AFSC.

（8）Dot [Weller] to Rajah (and Philly Folks), March 31, 1969, folder: 44111, box: ISD RPO 1969 AFRICA - con't Nigeria - con't ASIA - con't Hong Kong Vietnam -(gen'l) N. VIETNAM S. VIETNAM, AFSC.

（9）Dorothy Weller to Folks, April 4, 1970, folder: Dorothy Weller Letters from Vietnam Book #4, box: Dorothy Weller Letters from Vietnam, 2 of 3, AFSC.

（10）Weller.

（11）Dot [Weller] to Philly Folk, March 12, 1969, folder: 44111, box: ISD RPO 1969 AFRICA - con't Nigeria - con't ASIA - con't Hong Kong Vietnam -(gen'l) N. VIETNAM S. VIETNAM, AFSC.

（12）Dot to Philly Folks, March 23, 1969.

（13）Dot [Weller] to Philly Folks, August 1, 1971, SV-P#113, folder "ISD ASIA 48623 SOUTH VIETNAM: CORRESPONDENCE Letters #d from South Vietnam (SVN-P) - June-December 1971, "box " ISD RPO 1971 ASIA - con't Hong Kong Vietnam - (gen'l) N. VIETNAM S. VIETNAM, " AFSC.

（14）Weller.

（15）なお、AFSC のチームは単に施設運営を行っていただけでなく、技師工房で働く若いベトナム人男性スタッフの徴兵免除を勝ち取るために当局と交渉したり、解放民族戦線のメンバーとして拘束された若いベトナム人女性の釈放を求めて奔走したり、クアンガイ市内にあるサイゴン政権の「尋問センター」で収容者の待遇改善のために動いたり、あるいは、地元の仏教徒が主催する平和デモに参加したりするなど、平和と人道に資すると思われる様々な活動を行っていたことが、史料から確認できます。

（16）Keith Walker, *A Piece of My Heart: The Stories of Twenty-six American Women who Served in Vietnam* (Novato, CA: Presidio Press, 1985), 185-189.

（17）Walker.

（18）Dot Weller, "For Vietnam Peace: Stop U.S. 'Help,' " *Los Angeles Times*, January 12, 1975.

**人が人として生きる権利――支配する／されるという幻想を超えて？**……樋口映美

（1）このころ Joel R. Williamson は、数年後に大著となる *The Crusible of Race: Black-White Relations in the American South Since Emancipation* (New York: Oxford University Press, 1984) の執筆中であった。その後、縮刷版 *A Rage for Order: Black-White Relations in the American South Since Emancipation* (New York: Oxford University Press, 1986) も出版された。いずれの書でもリンチ事件は、アメリカの人種関係史およびアメリカ南部社会の歴史における象徴的な出来事として重視されている。

（2）1915 年にリンチ事件調査委員会を創設して裁判闘争を始めていた全国黒人向上協会（1909 年にニューヨーク市で組織された公民権組織、略称 NAACP）は、テキサス州で女性参政権活動をしていた Elizabeth Freeman を直ちにウエイコに送り、1916 年 5 月のリンチ事件に関する情報収集に努めた。その情報を基に詳細な記事が機関誌 *Crisis*, vol. 12 (July 1916, Supplement) に掲載された。さらに、裁判資金集めを兼ねて各地の NAACP 支部で集会が催され、多くの黒人新聞が関連記事を同様の写真と共に掲載した。次の註（3）で提示している Cleveland *Gazette* 紙と Washington *Bee* 紙はその好例である。そして 90 年後、2006 年に出版された研究書 Patricia Bernstein, *The First Waco Horror: The Lynching of Jesse Washington and the Rise of NAACP* (College Station, Tx: Texas A & M

University Press, 2006) がその詳細を証し、公共放送 NPR のサイト（HTTPS://WWW.NPR.ORG/2006/05/13/5401868/WACO-RECALLS-A-90-YEAR-OLD-HORROR）［閲覧：2023 年 3 月］で紹介された。さらに、2022 年に創設されたサイト（https://andscape.com/features/the-waco-horror/）［閲覧：2023 年 3 月］では当事者の遺族や子孫の見解も紹介されている。なお、19 世紀から 20 世紀にかけて発生したリンチ事件全容を手際よくまとめた論考としては、兼子歩「100 年前の『ヘイトの時代』から」考える――アメリカ南部におけるリンチとその歴史的背景」（清原悠編『レイシズムを考える』共和国、2021 年、pp. 53-71、第 2 章）がある。

（3）“The Waco Horror,” *Crisis*, vol. 12 (July 1916, Supplement): 1-7; Washington *Bee*, 8 July 1916; Cleveland *Gazette*, 29 July 1916.

（4）アン・ムーディ（樋口映美訳）『貧困と怒りのアメリカ南部―公民権運動への 25 年』（彩流社、2008 年）、pp. 241-242。このころ、ミシシッピ州の州都ジャクソンでも黒人客に対して軽食カウンターの使用と軽食の提供を拒否する店舗を相手に、その差別方針に抗議して座り込み活動が NAACP ミシシッピ州地方幹事メドガー・エヴァーズ（Medgar Evers）らの指導でさかんに行なわれていた。

（5）同上、p. 307。エヴァーズは、1963 年 6 月 12 日、州都ジャクソンでの NAACP 支部大会終了後に帰宅するところを待ち伏せされ、自宅前で暗殺された。

（6）同上、p. 310。

## **統計表からの透視――ロンドンの一六六五年ペスト大流行の場合**………永島　剛

（1）D. Defoe, *A Journal of the Plague Year* (1722). ダニエル・デフォー（武田将明訳）『ペストの記憶』（研究社、2017 年）。

（2）The Company of Parish Clerks of London, *London's Dreadful Visitation: A Collection of All the Bills of Mortality for the Present Year* (1665).

（3）死亡週表の歴史研究については、P. Slack, *The Impact of Plague in Tudor and Stuart England* (Routledge, 1985); S. Greenberg, "Plague, the printing press, and public health in seventeenth-century London", *Huntington Library Quarterly*, 67-4, 2004 など参照。

（4）当時のロンドンについては、A. L. Beier and R. Finlay (eds.), *Making of the Metropolis: London, 1500-1700* (Prentice Hall Press, 1986). A. L. ベーア、R. フィンレイ編（川北稔訳）『メトロポリス・ロンドンの成立―1500 年から 1700 年まで』（三嶺書房、1992 年）など参照。

（5）J. Graunt, *Natural and Political Observations Made Upon the Bills of Mortality* (1662).　この点については G. Newton, 'The age structure and meaning of causes of death in English urban areas between 1583 and 1812' (The Cambridge Group for the History of Population and Social Structure, unpublished working paper, 2016) も参照。

（6）永島剛「近代ロンドンにおける病院医学校と医師資格制度」坂井建雄編『医学教育の歴史―古今と東西』（法政大学出版局、2019 年）。

（7）L. C. Latham and W. Matthews (eds.), *The Diary of Samuel Pepys*, Vol. 6 (Urwin Hayman Limited, 1972). S. ピープス（臼田昭訳）『サミュエル・ピープスの日記 第 6 巻（1665 年）』（国文社、1990 年）。